顾　问\王世华　洪永平

主　编\潘小平

副主编\陈　瑞　毛新红

总策划\金久余

策　划\潘振球　程景梁

张大文　著

家在山水翕聚间

JIAZAI SHANSHUI XIJUJIAN

全 国 百 佳 图 书 出 版 单 位
时代出版传媒股份有限公司
安 徽 人 民 出 版 社

图书在版编目（CIP）数据

家在山水翕聚间 / 张大文著 . — 合肥：安徽人民出版社，
2018.6（乡愁徽州 / 潘小平主编）

ISBN 978-7-212-09952-7

Ⅰ . ①家… Ⅱ . ①张… Ⅲ . ①散文集—中国—当代
Ⅳ . ① I267

中国版本图书馆 CIP 数据核字 (2017) 第 304015 号

潘小平　主编

家在山水翕聚间

张大文　著

选题策划：胡正义　丁怀超　刘　哲　白　明
出 版 人：徐　敏　　出版统筹：徐佩和　　责任印制：董　亮
责任编辑：蒋越林　　装帧设计：宋文岚

出版发行：时代出版传媒股份有限公司 http://www.press-mart.com
　　　　　安徽人民出版社 http://www.ahpeople.com
地　　址：合肥市政务文化新区翡翠路 1118 号出版传媒广场八楼
邮　　编：230071
电　　话：0551-63533258　0551-63533259（传真）
印　　刷：安徽新华印刷股份有限公司

开本：880mm×1230mm　1/32　印张：8　字数：150 千
版次：2018 年 6 月第 1 版　　2018 年 6 月第 1 次印刷

ISBN　978-7-212-09952-7　　　　定价：38.00 元

乡愁深处是徽州

潘小平

家庭是中国人的宗教，乡愁是中国人的美学。

每一个伟大民族，对世界文学都有着自己独特的贡献：俄罗斯因幅员辽阔，横跨欧亚大陆，为世界文学贡献了巨大的贵族式悲悯和波澜壮阔的美感；法国文学因是摧枯拉朽的法国大革命催生的产物，充满了大革命的激情和憧憬，从而形成了浪漫主义的文学品格；十八世纪至二十一世纪，批判现实主义作为英国小说的优秀传统，一直是主导英国小说创作的主流；而中华民族对于世界文学的独特贡献，则可用"乡愁"二字来概括。"乡愁"更是一种文化、一种传统。

什么是"乡愁"？"乡愁"就是故乡的土、故乡的人、故乡的老屋和老树，是儿时傍晚母亲的呼唤，是海外游子对家乡一粥一饭、一草一木的眷恋，是诗人李白"举头望明月，低头思故乡"的怅然。中华文明绵延数千年，发展出了独特的价值体系和审美体系。李白的"举头望明月，低头思故乡"，崔颢的"日暮乡关

何处是，烟波江上使人愁"，王安石的"春风又绿江南岸，明月
何时照我还"，李益的"不知何处吹芦管，一夜征人尽望乡"，
岑参的"故园东望路漫漫，双袖龙钟泪不干。马上相逢无纸笔，
凭君传语报平安"，等等，不仅表达了悠悠不尽的思乡之情和漂
泊之感，更表达了一种笼罩于具体思绪之上的对"故乡故土"的
思念。因此中国人的"乡愁"，不单是对自己生活过的具体的故
乡、故土、故人、故物的不舍，也是对整个中国历史、整个文化
传统的感念，是浓缩了的"故国时空"，是审美化的民族情感。
它不仅是地理的，还是历史的；既是个人的，也是民族的；既是
情感的，也是审美的；既是具体的思念和愁绪，也是一种无形的
氛围或气息，氤氲缭绕，久久不散。它可以是屈原时代的汨罗江、
抗战时期的嘉陵江，也可以是苏东坡的长江；可以是杜甫的江南、
李白的江南，也可以是郁达夫的江南。这就是所谓的"文化乡愁"，
代表了中国人的一种历史归宿感和文化归属感。

表达和抒发"文化乡愁"，是我们组织编撰这套丛书的初衷，
也是它的精神指向和情感指向。

相对于今天的人们来说，徽州是一个古老的地理概念，它包
括绩溪、歙县、休宁、黟县、祁门和今天已经划归江西的婺源，
以及在一定历史时期同属于徽州民俗单元的旌德和太平。进入皖
南山地之后，峰峦如波涛般涌来，能够感到纯粹意义的地理给人
带来的震撼。从地理环境上看，徽州自古以来就是一个独立的单
元。早在南宋淳熙《新安志》的时代，徽州就有"山限壤隔，民

不染他俗"的说法。所谓"山限壤隔",是说徽州的"一府六邑"处于万山环绕之中,是一个具有相对独立性的地域社会;所谓"民不染他俗",是指在一个相对封闭的地理环境中,徽州逐渐形成自己独特的风俗和民情,成为一个独立的民俗单元。从唐代大历四年(769年)开始,到明清之际,徽州的辖区面积一直都比较固定。据道光《徽州府志》卷一《舆地志》记载,清代徽州府东西长三百九十里,南北长二百二十里,如果采用现代计量单位,总面积为12548平方千米。

山高水激,是徽州山水的特点,因此进入徽州,桥梁会不断地呈现。那都是一些老桥,坐落在徽州的风景中,画一般静默。不知为什么,徽州的老桥,总给人一种地老天荒的美感。常常是车子在行驶之中,路两边的风景一掠而过。蓝天、白云,树木、瓦舍,在山区的阳光下,水洗一般的清澈。突然,一座桥梁出现了,先是远远的,彩虹一样地悬挂,等到近一些了,才能看清它那苍老而优美的跨越。这时会有一些并不宽阔的溪流,在车窗外潺潺流淌,远处有农人在歇息、牛在吃草。

不知道那是一条什么河,也不知道它最终流向哪里去,在徽州,这样叫不上名字的河流溪水遍地流淌,数不胜数。"深潭与浅滩,万转出新安",所以人在徽州,最能感到山水萦绕的美好。在徽州的低山丘陵间,新安江谷地由东向西绵延伸展,它包括歙县、休宁和绩溪的各一部分,面积超过一百平方千米。这就是我们平常所说的休屯盆地,在徽州,它甚至可以称得上是一望平畴了。这里土层深厚，阡陌纵横，鸡犬相闻，缭绕着久久不散的炊烟。迁入徽州的许多大家望族，都居住在这一带，一村一姓，世代相延。有时翻过一道山岭，或是进入一条溪谷，会突然发现其间烟火万家，那便是新安大姓聚族而居的村落了。在徽州，聚族而居是一种普遍的风俗。因此徽州的村落大多屋宇错落，街贯巷连，醒目的粉墙黛瓦，富有鲜明的皖南民居特色。徽州的街巷，也多是青石铺成，路两边的沟渠里，长年流水淙淙。徽州老屋，是中国大地最具辨识度的建筑，"有堂皆设井，无宅不雕花"，是对徽州民居的最准确的形容。"堂"指阶前，"井"指天井，徽州建筑所谓的"四水归堂"，是指将住宅屋面的雨水集于天井之中。徽州民居的各个部分，主要是门楼、门罩、梁架、窗棂、栏杆等处，都饰以各类雕刻，"徽州三雕"艺术，就集中体现在这些地方。

在徽州的村落里，耸然高出民居的最雄伟宏丽的建筑，是祠堂。祠堂是全宗族或是宗族的某一部分成员共同拥有的建筑，具有重要的社会意义。名宗右族，往往建有几座甚至几十座祠堂，祠堂连云，远近相望，是徽州一个重要而独特的现象。而牌坊是与民居、祠堂并存的古建筑，共同构成徽州独具一格的人文景观。"七山一水一分田，一分道路加庄园"的自然环境，造成了徽州人深刻的危机意识，为了生存，人们蜂拥而出，求食于四方。徽谚所谓"前世不修，生在徽州，十三四岁，往外一丢"，由此形成了一支强大的商业力量，史称徽商。徽商的经营范围，以盐、典、茶、木为主，而徽商中的巨商大贾，大多是盐商。明代万历年间，徽商逐渐取得了盐业专卖的世袭特权，他们大都宅居于长江、运河交汇处的扬州一带。明清之际，江浙共有大盐商三十五名，其中二十八名是徽商。几百年来，徽商的足迹无所不至，遍及天涯海角，在东南社会变迁中扮演着重要的角色，以至于在江南一带，有"无徽不成镇"的说法。

今天看来，徽商重大的历史贡献，在于它以雄厚的财力物力，滋育出了灿烂的徽州文化。从广义的文化范畴来看，徽州地区在徽商鼎盛的那一历史阶段，一切文化领域里的成就，都达到了当时我国、有些甚至是当时世界的先进水平。比如徽州教育、徽州刻书、徽派朴学、新安理学、徽派建筑、徽州园林、新安画派、徽派篆刻、新安医学、徽派版画、徽州三雕、徽州水口等。而这一时期，徽州的自然科学、数学、谱牒学、方志学，也都有了很大的发展，并且富有特色。徽剧和徽州菜系的诞育与形成，更是与徽商奢侈的生活方式有关，所以梁启超才在他的《清代学术概论》中，把以徽商为主体的两淮盐商对乾嘉时期学术的贡献，与南欧巨室豪贾对欧洲文艺复兴的贡献相提并论。清末民初，安徽涌现出那么多的思想家和精神领袖，是明清两代经济文化积累的结果，流风所至，一直影响到"五四"前后。

而今天，这一切还存在于大地，在新安江沿岸，至今还留有一些水埠头，比如渔亭、溪口和临溪，比如五城、渔梁和深渡……而古老的新安江也一如既往，日夜奔流，两岸的老街、老屋、老

桥，祠堂、牌坊、书院，在太阳下静静站立，被时光淬过的木雕、石雕和砖雕，发出金属般久远的光芒。而绵长如岁月一般的思绪，在作家们的笔下缭绕，给你带来人生的暖意和无边的惆怅。

徽州还好吗？老屋还在吗？曾经的徽杭古驿道，还有行旅吗？

乡愁深处是徽州，徽州深处是故乡。

2017 年 12 月 1 日

于匡南

目 录

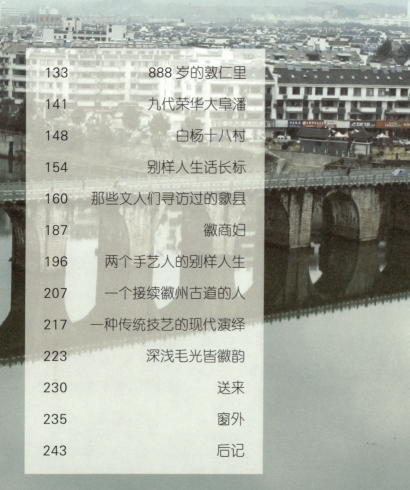

一方水土四乡人

　　从公元617年开始建造那座被后人称作徽州府多年的城池至今，这座城内没有改变的大体只有东南西北四座城门的朝向。城门向外，便是歙县东西南北四乡的境域，尽管这与地理学意义上的方位大相

※ 徽州府衙

径庭，却在千百年间歙县人心目中根深蒂固。然而敏锐地感受到四乡个性鲜明的风俗人文并形诸文字的，却是一个外乡人。他说首先四乡人的饮食结构就大不同，歙县总体上山多田少，粮食自给不足，但东西两乡田野肥沃平阔，所产稻谷自用外还能略有盈余；南乡与北乡的人们，因多居于深山之中，只能靠种植苞芦等杂粮度日。他说四乡人的衣着服饰也有差异，其中西乡人最为时尚考究，原因是古时那里的人多有在扬州作盐商者，那时的扬州是全国食盐贸易中心，是纸醉金迷之地，随着两地人员往来和一代代徽商告老还乡，扬州的奢靡之风也逐渐在歙县西乡弥散开来。近年来，新安江上游的水陆码头屯溪日益成为徽州腹地商务重镇，商旅辐辏，店铺林立。西乡与屯溪接壤，故而杭州、上海等地刚刚时兴的鞋帽衣服乃至于发型的款式，总是经屯溪后率先在歙县西乡得以流行开来。相比之下，

※ 曾经张扬着功名的旗杆墩（歙县上丰）

南乡人显得质朴节俭得多，"南乡富家，坐拥厚赀，男则冬不裘，夏不葛，女则不珠翠，不脂粉，与西乡适成一反例。""是以洋货之用数以西乡

为多，土货之销场以南乡为最。"

做出以上论述的人名叫刘汝骥，直隶静海县人。光绪三十三年（1907年）正月初七日，奉旨出任徽州府知府。这一年刚满四十岁的他很有一番"以勤慎吏职而名垂青史"的抱负，因此甫一上任，他就深入徽州乡村开展调查研究，在惊叹这里文化底蕴厚重的同时，也对当时徽州村落间盛行的迷信、赌博、搭台唱淫戏等陋习深为憎恶："徽俗之最恶者，曰迷信，曰嗜赌。醵钱迎赛，无村无之。其所演戏出，又多鄙俚不根之事。"为此刘汝骥相继颁布《劝禁缠足示》《破除迷信示》和《禁演淫戏示》等政令，力求革故鼎新。但当时时局风雨飘摇，鸡鸣不已，刘汝骥也在不久因清王朝的覆灭而仓皇离去，徽州如深潭，他所推行的新政不过如雨落水面泛起几圈涟漪，但一位封建时代的官员"为官一任，造福一方"的执着，还是令如今也厕身官员之列的我钦敬不已。

对东乡的最初印象，是与石灰这种物品联系在一起的。孩提时期的我生活在歙县南乡一个叫小洲的村子里。正月过了十五，身为生产队长的外公张良善照例要带着一二精壮劳力去东乡桂林收购石灰，这是每年里外公用时最长的一

次出行。十天后，外公会捎来口信，说石灰已运抵二十里外新安江边的小川码头，次日黄昏，由十几辆满载着石灰的平板车组成的车

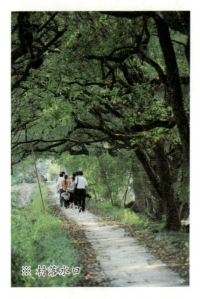
※ 村落水口

队浩浩荡荡地开进村里，走在最前面的外公虽一脸疲惫却神情灿烂，仿佛英雄归来。石灰卸下后堆放在生产队仓库一角，一年里社员中有砌土墙做屋，或是安葬过世老人，都来找外公称石灰。而石灰最大的用途，是在谷雨过后，村前村后的水田里秧苗纵横成行，外公指挥社员们将石灰一

担担挑到田头，耘田过后，石灰一把把随风洒向田中。此后的日子，那些水田里，白天秧苗精神抖擞迎风起伏，入夜则蛙鸣喧腾，整个小山村也仿佛一日日气韵生动起来。

　　而开始理解外公每年购买石灰回去总是一脸疲惫，是20世纪80年代后期我来县城读书以后。一个周末，同学用自行车载我去东乡他家中玩，溯扬之河而至桂林镇地界，眼前低矮的山丘仿佛全都被人劈凿过般显得支离破碎，山谷里乱石累累，不远坡上有数处类似暗堡的建筑物徐徐冒着黄烟，空气中充斥着一股硫磺的味道。同

学说这一带自古就是石灰窑，日后翻看资料，知道最迟在唐朝末年，东乡就有了冶炼石灰的历史。明朝天启年间有篇文献，作者对东乡冶炼石灰的现象显得爱恨交加："山脉多产矿，破其块而付之煅，腻如粉，能备一切用。左右复产煤，以煅石甚便也。奸民虎踞，以为利，日剥夜削，陷若阱坑。"这里既有石灰石，又富产燃料石煤，煅烧出"能备一切用"的石灰让作者深感自豪，但那种无序的、掠夺式的开采方式给生态环境带来的破坏使作者深感愤懑。而站在窑场前，我想得更多的是当年从这里买了数千斤石灰的外公，从何处借用何种工具将它们运到百里外的深渡，又如何雇船运到小川，这一路上，他承受着多少从未向人说过的辛苦。

　　同学的家在溪头镇蓝田村，这是东乡一个聚居人口相对较多的

※ 歙县东乡溪头镇蓝田村，古称"种玉里"

村落。同学领着我去看村口蓊郁的老树，飞檐翘角的文昌阁，一脸沧桑的牌坊，还有一座据说是南朝某位郡主的坟墓。新鲜光亮的房屋齐聚在马路两侧，村落里街巷纵横，其间多有破败不堪、荒草萋萋者，难掩当年气派；大多房屋虽有烟火气息，却都门户紧闭。同学陪我在他家二楼阳台上喝茶，正是阴晴不定四月天，村落南向，丘陵低矮，水田波光碎亮；向北望去，群山绵延高耸，云深雾锁处，有梯地茶园，零星人家。同学说那高山上的茶叶是这里人们的主要收入来源，他用手指从袅袅升着热气的茶杯中衔出一枚刚舒展开来的茶叶骑于杯口之上，一会儿工夫，杯中的茶水沿茶叶点点滴于杯外，一股兰花的香味氤氲开去，同学说，这茶就叫"滴水香"。

※东乡村落水口

※ 木榨油坊仍飘香（徽北富塔）

　　东乡与北乡接壤，两者地势、物产与习俗大体相近。五年前，朋友邀我探访箬岭古道，这是一次完整意义上的北乡穿越之行。出府城北门，过万年桥，静静流淌的富资河，两岸田野人家。地势在经过一个叫跳石的村子后悄然有了变化，田野渐渐收缩，天空越发逼仄。翻过一道山梁，眼前是豁然开阔的小盆地，近山处有白墙黑瓦鳞次栉比，这就是古有"千灶万丁"之称的许村。犹如溪头之与东乡，拥有廊桥、八角亭和众多牌坊的许村是北乡的第一重镇。而许村身后还有一道山岭顺着山势辗转而上直抵云端，那就是百年前徽州人为求功名或财富远涉长江流域乃至中原腹地而必经之箬岭，千百年商旅往来，使许村的文化气息比溪头更显厚重。

仿佛上苍把所有对歙县的恩赐都给了西乡。

在西乡而外的歙县人眼里，西乡就是一马平川，田地肥沃，街市喧闹，庭院深深。而表舅张寿生使我们这个世代生活在南乡小洲村的张姓家族对西乡多了几分念想。表舅的家原来在水竹湾，小洲村后攀八里山岭，十几户人家散落在半山凹凸处，一年里有大半年时间担着空水桶四处找水，却取了个带水的村名。20世纪90年代，因在外打工多年的儿子在西乡郑村买了房子，年过六旬的表舅举家迁往郑村。逢年过节表舅回南乡走亲戚，酒桌上他给亲友们描绘了一幅幅西乡的灿烂景象，他说他前半辈子扁担没离开过肩膀，如今打药水收玉米都是骑着电动三轮车；西乡种的南瓜大过脸盆，西乡种的萝卜如同棒槌，种一垄山芋，家里养四头猪一年都吃不完。亲友们听得合不上嘴。两年后表舅将西乡的房子推倒重建，竣工之日，南乡的亲友结伴前往贺喜吃酒，表舅领着大家看完新屋又去看屋后的菜园，菜叶肥厚瓜果累累，表舅说你们看看这泥多厚，一锄头挖下去，被泥吃住半天才能拔出来，哪像我们南乡，挖下去都是石壁，弹回来打着额头。亲友们都以为表舅所言不虚。

张寿生们不一定知道，西乡被称作"土壤沃野"，除了上天赋予它地处休屯盆地、丰乐河两岸这一独特的地理优势之外，更在于千百年来这里的人们对生存环境坚持不懈地建设和改造。一千五百年前，出生于南阳显宦之家的吕文达宦游新安，任期届满时皇帝易人，吕家失势，原本就一心想远离政治漩涡的吕文达干脆留居下来，并娶了丰乐河畔大户人家郑忠公的女儿仲娘为继室。那时的河两岸多为荆榛之地，为使土地开垦后有水灌溉，学识过人的吕文达带领妻兄郑猛从丰乐河中"筑堨引水"。堨的建造方法是，"堨水取之于大溪，溪低而田高，筑坝丈许，断木为架，名曰木苍，内塞石块，外覆沙草，横绝中流尽弥罅漏，必至一二日始水蓄而入圳。入圳而灌田矣。"也就是在溪流中横向用树木和石块砌起堤坝，堵塞水流，

※ 沿用 1500 年的西溪南水堨

抬高水位，使之经一二日蓄水后，漫入人工开挖的沟渠，将水引入待灌溉的田中。史料记载，吕文达与郑猛洪开沟渠十余里，渠高五丈有余，横阔二十余丈，合而灌田三万余亩，人称"吕塌"，是西乡规模最大、灌溉面积最广的塌坝。吕塌里的水潺潺流淌了一千年后到南宋宁宗元年，莘墟人吴大用与儿子吴永年"割己田捐重赀"，在吕塌附近栏塌丰乐河筑坝，雇请石匠吴元四夫妇及子侄，历经数年开凿"昌塌"，昌塌经涉田土十二里，灌田三千亩。一直到清朝末年，当时的徽州知府仍然对吕塌、昌塌发挥的功用赞誉有加："就今岁论，亢旱近四十日，山塘田禾半皆枯槁，惟吕塌昌塌鲍南塌工程完密，一律有秋，此效果之尤彰明较著者也。"可以说，在整个农耕时代，吕塌、昌塌都为丰乐河两岸的岁岁丰稔提供了保障。

但农业生产至多只能解决衣食温饱问题，家在丰乐河畔千秋里的明朝著名戏剧家、抗倭名将汪道昆说，"歙之西故以贾起富"，意思是数百年前西乡人能够发家致富，大多靠外出做生意，他以自己的家世现身说法，他曾祖父而上十五代，都在家躬耕农田，家境平平。有一天曾祖母跟曾祖父说："君家世孝悌力田善矣。吾翁贾甄括，闻诸贾往往致富饶，君能从吾翁游，请为君具资斧。"他的曾祖母见旁人都经商致富，劝导自己的丈夫能够跟随在外经商的岳父一同外出行贾，并为丈夫准备了本钱。曾祖父听从她的建议，于

※ 棠樾男祠

是家境一日日殷实，到了汪道昆这一代，家族资本"始累巨万"，子弟们可以不再为生计奔波，而专注于读书仕进。

徽州学研究专家、复旦大学教授王振忠曾经对十六、十七世纪称雄海内的两大商业巨擘徽商与晋商进行过比较，他说虽然两者在财力和势力范围上大体相当，但凡是徽商聚居之地总是市镇发达，文风蔚盛，而三晋贾客所到之处，虽然也能使得市声喧嚣，但在文化上却不曾有过多少建树。那些慕悦风雅的商人，大都是"亦商亦贾"的徽州商人，山西商人虽然也腰缠万贯，但他们的形象实在不佳。我想徽商"慕悦风雅"的形象，与他们小时在故里受到的教育和熏陶有关。丰乐河南岸的西溪南村，"土宽而正、地弱而厚、水楫而回"，是钟灵毓秀之地。从明正德、嘉靖年起，村中吴姓就在两淮世代从事盐业生意。财富雄峙一方，文风也极为昌盛。早在宋代，村中就建有"溪南书院"。到了明朝，又建有"崇文书院"。同时拥有文化和财富，使得这里的人们十分热衷于艺术收藏，"家家书画，户户鼎彝"，收藏家和鉴赏家辈出，为"休、歙之最"。明末清初的时候，有个叫渐江的和尚，他原本挂单在歙县城外的长庆寺，一到冬天，就到西溪南村外仁义禅院里"度腊"。村中有个叫吴梦印的，

※ 曾经繁华富庶的西溪南

013 >>　　>　　　　　一方水土四乡人

曾在外经商多年，家中收藏宋元书画特别丰富，渐江与他私交甚好，常盘桓在他家中阁楼上展玩描摹先人画作，每见佳作，双膝不由自主跪地，口中喃喃道："是不可亵玩。"傍晚时揖别吴梦印走向村外的禅院，倚靠着村头石桥的护栏，近河的枫杨树林间，无数的寒鸦飞舞起落，不远处禅院里传来暮鼓声声，远处的村落人家飘升炊烟徐徐化作夜霭，耳畔虽有呼呼寒风吹过，但他心里却别有一番闲适自得。渐江被后世尊为新安画派的开创大师，西溪南村也被世人

称作新安画派的摇篮。然而汪道昆却坚持认为，岩寺收藏文献要远比西溪南丰盛得多，"夫以文献概吾乡，其著者称岩镇。岩镇盖万家之市，其著者称诸方，方太学銮故以藏书倾邑里"。岩寺是从丰乐河泛舟而下五里许另外一个西乡重镇。清朝康熙年间，岩寺人佘华瑞著《岩镇志草》，他的姻亲、同为岩寺人的程偌在为之作序时欣然写道，岩寺"虽歙西一隅，为九达之遼，而巨室大家之都会，英才之盛，媲美周京，闺阁之贤，称为邹鲁。先贤之经画，规模弘远，溪山之环秀，悉发天然"。20 世纪初出生在丰乐河畔另一个名村潜口的汪世清，少年时负笈北游，后一直寓居京城，但丰乐河两岸的美丽风景和丰厚人文一直萦绕在心头，他在与人谈及自己家乡时总是深情款款："我歙古村落，尤其是丰乐水流域一带，村村都是一个古建筑的博物馆，连接起来便是一座文化走廊。"

※ 梦里家园（歙西郑村）

西乡的繁华梦却在清朝的咸丰年间被彻底击破。由于徽州成为清军与太平军"拉锯战"的主阵地，西乡由于交通便利，且这里的人"承平日久"，"素不闻兵革之事"，太

平军烧杀劫虐如入无人之境，以致"尸横遍野""十室九空"。新
中国成立后，由于"文化大革命"，作为"文献之邦"，西乡再次
陷入万劫不复的境地。古人云，"欲识金银气，多从黄白游"，那团"金
银气"曾久久地停驻在西乡的天空，而与他乡无关。如今不知被风
吹往何处，有关西乡，只是一个个充满惆怅的前朝故事了。

三

"儿不嫌母丑，狗不嫌家穷。"用这句歙县南乡的
谚语来形容我与南乡之间的感情，当最为准确贴切。

四十年前我在南乡小洲村张姓宗祠改建的小学教室
里午睡，躺在课桌上，双眼怔怔地望着窗外，碧蓝的天幕下，洁白
的云朵幻化成雄狮、奔马、花蕾和山峦，想象着那云里有人正向下
看我们。现在想来，如果站在云端看南乡，那就是横卧着的一棵树，
树的主干是那条逶迤而来的新安江，它的侧枝就是从两边群山中向
着新安江而来宽窄不一的溪流。溪流两岸，拥聚着大大小小的村落，
村落背后青山绵延，人家屋宇星星点点。歙县人把新安江两岸边溯
支流而上，青山对峙，人家夹岸而居的地貌叫作"源"，白杨源，昌源，
大洲源，小洲源，街源……四分之三的南乡人生活在这些"开门见山"
的源里。

※ 云蒸霞蔚（歙南石潭）

居住在新安江两岸的南乡人多少还能有"渔泽之利"，对于居住在"源"里的人，大自然显得近乎苛刻。"街口进街源，只见青山不见田。"纵深百里的街源，炊烟人家相望，但都局促在山的皱褶里，或是山的额眉之上。其他源里情形也大抵如此，山势交拥相

※ 长陔岭冬雪

对舒缓些的，才在村庄的周边有零星巴掌大的水田。赶牛犁田转身都不便，脚放直才能行走的田埂上，也密密地种着四时的

菜蔬。这里的人们便把生存的目光投向四围的山，山势险峻高耸，多悬崖石壁，平缓处小半辟作茶园，因为近江空气湿度过高，茶叶品质不佳，却是这里人们一年中最为主要的经济来源；多半被垦作种植粮食作物的耕地，地薄土坚，不利保墒，顺治年间编撰的《歙县志》这样描述这里的土地："地寡泽而易枯，十日不雨，则仰天而呼，一日骤雨过，粪壤之苗荡然矣。"

于是那种学名叫作玉米，被当地人称作"苞芦"的植物，以坚韧质朴的禀赋，责无旁贷地做了南乡人生活中的主角，春夏之际，南乡人家房前屋后，苞芦顶花带露，迎风婆娑起舞。秋风一起，条条山路上男女老少或挑或背汗流浃背，筐里篮里是清一色刚掰下来

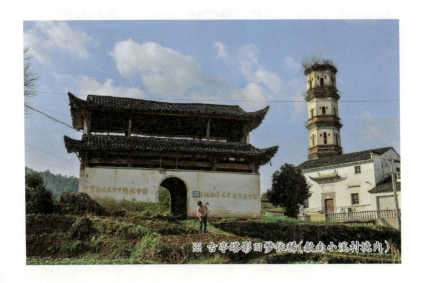

※古亭塔影旧梦依稀（歙南小溪村境内）

的苞芦。在南乡人眼里，苞芦浑身是宝，"干之能供炊，埋地可松土，苞皮可制纸，苞心可伺猪"。由于产量低，且常年作主食，苞芦在南乡人的餐桌上精心而又巧妙地变化着各种花样。苞芦粿是农忙时节才能享用的食物，天色未明时各家主妇起床蒸粉做粿，虽只就着灶膛里的火光，做出的粿却大小如一厚薄均匀，大多以咸菜为馅，有时也用南瓜或萝卜切成细丝。农夫匆匆吃过早饭扛着锄头晃荡着盛着粿的布囊走向各家的山地。太阳当顶的时候，拾来几根枯枝将粿烘焙得吱吱冒油，就着山泉，迎着山风，看远山近岭莽莽苍苍，倒也吃得齿颊留香。冬日农闲的时候大多以苞芦糊作早餐，煮开一锅清水，右手持擀面杖将水顺时针搅动，左手徐徐下以苞芦粉，

※ 徽南竹乡人家

苞芦糊渐趋浓稠且啪啪冒着气泡的时候，投入盐和菜叶。端着一碗苞芦糊焙着火熄坐在自家门口，冬阳如巨大的火球正跃出那边山岗，一种温暖便从心底徐徐升腾起来……

南乡人说："纵有良田万亩，不如一技在手"，又说"卖田卖地卖不掉手艺"。他们认为，田地不仅金贵不易得，而且还有丰歉之时，只有学成一门手艺，方可消除衣食之忧。小时耳濡目染，我总是对家乡那些手艺人精湛的技艺和他们近乎传奇的故事心驰神往。四邻八乡有人家建造新屋，常常来南乡请了石匠去下基脚。各形石料经南乡石匠们三錾五錾，立马横平竖直，棱角分明。无论基脚下多高，石匠们全用石块沟连铺垫，从不用水泥沙浆黏合。新屋落成之日，主人设宴犒劳众工匠师傅，砖匠、木匠、漆匠等齐齐入座，主宾的位置必定是留给石匠的。上天为造就南乡的石匠特意在这里搭了个大舞台。这里的山多岩石裸露，为了耕作的便利只能砌起层层的梯田，从山底到山顶上百道丈余高的石塝气势磅礴，道道都是石匠们的杰作。每年入了冬，村里的竹匠张立根照例要来我家上几天工。我喜欢蹲坐在他身边，看一根碗口粗的毛竹，随着他手中那把锃亮的竹刀的翻飞，转眼间成了细如针的篾丝，薄如纸的篾片。燃起一堆火，坚韧的竹片在火上烤过之后，经他的手便可随意弯成各种形状。待到灯火初升收工之时，家中便添置了两只菜篮，三只

※ 徽南山上人家

竹篓，或许还有一只礼篮，一只笸箩；其上以篾黄铺底，篾青作笔，编绘着"万"字、"喜"字、"福"字和"春"字等图案。若再糅以桐油，自然就成了一件人见人爱的工艺品。村里人请手艺人来做工，大多递烟敬茶，礼遇有加。完工之日，主人家多炒几个菜，还邀来二三亲友作陪。酒桌上菜是粗菜，酒是薄酒，却家事国事，天南海北，工匠家中妇人打发子女来催过数次，直到整个山村彻底沉入梦境，这屋里的人方才摇晃起身，各自踉跄而去。

1984年我读初三，因我身体羸弱，母亲再三请托，邻村的油漆匠春苟勉强答应待我毕业后收我为徒。暑假里一张师范学校的录取通知书，使我的人生变了个方向。而我的伙伴们，大多沿着父辈们走过的路继续前行。只是随着土地和户籍制度的改革，他们走向山外的脚步更加坚定和轻盈。十六岁颤颤巍巍跟着父亲走上脚手架的利群，如今成了大腹便便的小包工头；而从父亲手中接过木工斧的建国，正带着十几个小老乡在杭州的装潢市场里闯荡。南乡的土地瘠瘦，赋予这里人坚韧的禀赋；南乡的天空逼仄，却给这里的人在他乡预留了宽阔的出路。以西乡人为主体，曾经叱咤风云数百年的徽州商人在历史的天空下渐行渐远之后，作为今日歙县人代表的南乡人，正精神抖擞地走向舞台中央。

一生厮守一江水

我至今仍想象不出，当新安江第一次横亘在眼前时，父亲的心情该是怎样的纷繁复杂。那天他六岁的小手被一位族叔紧紧地拖拽着，披着漫天的晨星走了近二十里的山路赶到那个叫梅城的码头，这是1948年秋天的一个清早，父亲记得岸边泊着无数的船，有的还从船舱里透出昏黄的灯光。江面上江雾迷茫，船影绰绰。父亲将从这里开始他人生的第一次远行。就在昨天晚上，他的多病的生母整夜将他揽在怀中，告诉他将离开酗酒的生父和整日沉浸在饥饿之中的六个兄妹，由族叔送他去徽州一位远亲家中。尽管父亲从未听说过徽州还有远亲，但在乡亲们的口中，遥远的徽州就是锦绣之乡的代名词。而此刻，亲情别离的苦痛，未知前程的迷惘，温暖衣食的憧憬，父亲的心绪当如眼前的江面一般茫然。

船夫解缆撑篙，木船溯江而上。富有节奏的桨橹声使得船舱里的客人们昏昏欲睡。不久旭日跃上了江峰，江面上被晕染成橙黄色的霞光里，渐渐现出擦肩而过的帆船，款款驶向对岸的扁舟，粼粼波光的尽头是老树掩映着白墙黑瓦，江面忽而逼仄，水流激荡着礁石浪花飞溅，忽而平阔，云幕低垂处白鹭翩飞。

我相信父亲此刻的心在温煦江风的拂荡之下，正渐渐地舒展开来。满江的烟霞，带给他新奇和惊艳，而直至若干年后，他才慢慢体悟到，眼前的这条江，对于他即将奔赴的徽州，还有着生命脐带般的意义。

这条江，从黄山脚下奔涌而来，承载着千百年里徽州人开拓进

※ 新安江水碧悠悠——歙县南乡漳潭

取的梦想。那迎面而来高扬着白帆的乌篷船里，堆满了用竹篾和箬叶编成的筐子，里面装着的茶叶，似乎还沾染着徽州某座山巅缭绕的晨雾，兰花的甜香和鸟雀的啾鸣。那些浑圆的麻袋里支棱着笋干，竹园里拔节的声音是它们心碎的梦。船舷之外，杉树原木编成的木排据大半幅江面，密密地写着徽州腹地某个村姑的心事。

※20世纪70年代初，歙县溪口千金滩头（天然码头）

南宋的罗愿在《新安志》中说："休宁山出美材，岁联为桴下浙河，往者多取富。女子始生则为植杉，比嫁斩卖以供百用。"杉树是徽州父亲为女儿酿制的"女儿红"。船舱里总有几个青涩的少年郎，肩上斜挎着包袱，手里攥着把油纸伞，背井离乡的泪痕还挂在脸上，帆船载着这些"前世不修，生在徽州"的少年，继续往下入桐江，富春江，钱塘江，奔赴东海，或由杭州溯南运河，游走杭嘉湖平原；或穿太湖，抵长江，东至吴淞，西溯巴鄂；或继续横渡北运河，近抵淮扬，远抵幽燕。所谓"山陬海涯无所不至"，徽州少年郎就像一颗颗随风飘扬的蒲公英种子，一丝商机就是可以附着的泥土,从此生根发芽,筚路蓝缕,少年郎在荏苒时光中长成精于算计却又和顺儒雅的徽州朝奉,却总是踯躅在落日熔金的江边,一遍遍地回味着江之尽头家乡的模样。

※ 20 世纪 70 年代,在新安江大坝码头上,船姑戏水

与那些顺江而下高扬云帆直济沧海的徽州少年郎相反,这次父亲是溯江而上,行程艰涩得多。新安江自古以滩多水急闻名于世,古人有诗云:"一滩复一滩,一滩高十丈。三百六十滩,新安在天上。"面对湍急的滩流,桨篙的力量根本无济于事,需要雇请十余个纤夫往上背纤,丰水期时过一座滩需要花一整天,"日出说上滩,上滩日已晦,但见滩水流,片片月光碎"。

上滩的艰险并没有阻挡千百年里一艘艘商船奋然前行,因为这条江是生活在上游徽州腹地的人们命脉所系。康熙年间编撰的《休宁县志》中称:"徽州介万山之中,地狭人稠,耕获三不瞻一,即丰年亦仰食江、楚十居六七,勿论岁饥也。"由于浙江的杭州、严州府与徽州地域接壤,又有新安江舟楫之利,责无旁贷地成为徽州粮食的主要供应地，在徽州，"一日米船不至，民有饥色，三日不至，有饿殍，五日不至，有昼夺"。因此新安江上"溪流一线，小舟如叶，鱼贯尾衔，昼夜不息"。

徽州四围群山盘亘环峙，犹如城堡，唯新安江流如向东南方洞开的门户，使得徽州能够翕合着世代的新鲜空气。约一千五百年前的一天，梁高祖告诉酷爱泉石的大臣徐摛"新安大好山水，俾卿可

※ 渔舟唱晚——歙县南乡深渡境内

※ 江上放木排——休宁五城境内（1978 年春摄于休宁闵口）

卧治此郡"，指派他溯江而上出任新安郡的刺史。徐摛在任期间以风雅廉洁著称，未曾辜负这一方清淑的山水；1588 年春天，当时的文坛领袖王世贞率两浙三吴上百名才子，浩浩荡荡从新安江上奔赴徽州，与以汪道昆为盟主的徽州士子们进行一场以切磋琴棋书画技艺为主题的"白榆之约"，这场文化盛事至今道来仍令歙县人心潮澎湃；大约三十年后的一个清秋，曾在万历年间担任首辅的申时行，从家乡吴中启程，前往歙县造访曾同朝为相、如今也已退休在家的许国，申时行是个生活上十分考究的人，行前担心徽州无好水，特意在船上载惠泉数百瓮同行，舟达歙浦，见江水澄澈，潭不掩鳞，深为自己的多事感到可笑，于是自嘲地说："新安遍地惠泉也，奚以此为!"叫船上的人赶紧将带来的水倒进江里。明清以降,一首"欲识金银气,多从黄白游",引得多少文人士子不惮滩险水急奔波在新安江上,他们带来的各种文化总被徽州所吸纳,使得徽州每每能领时代风气之先。

当然,这些船上更多的是从他乡返回故里的徽州商人,无论是赚得盆盈钵满浑身意气风发,还是囊中羞涩依旧满脸写满沧桑,那份近乡情怯的感觉却是相似的。咳嗽致夜不能寐的老父盼着带他去看郎中抓药,风雨飘摇的老屋等着他去修缮翻新,怀里揣着的银票已磨得有些发毛,欲向妻儿倾诉的话语也默念了多遍。只是山水迢遥:"微茫塔影带霞光,溪鸟知人话故乡,过尽滩程三百六,今朝才复到渔梁。"渔梁是徽州腹地新安江主要的水陆码头之一,到了渔梁,似乎就看到了自家门口升起的炊烟,看到父母佝偻的背影和儿女张开的双臂……

父亲这次没有到渔梁,在进入歙县境内不久一个叫小川的地方就下了船,又走了五里山路,一个叫凌家坞的村子里,一对慈眉善目的中年夫妇接纳了他。若干年后父亲才知道,这对夫妇并非他的远亲,年仅六岁的他被虚报一岁,以七担麦子的价格卖给了这对膝下无儿的夫妇。在我徽州祖父母的供养下,中学毕业的父亲参军入伍,此后放弃了在外发展的机会,转业回到离凌家坞仅三十里地的街口区医院当了一辈子的医生，为徽州的养父母尽了养老送终的职责。

经过多年的寻访打听，父亲在四十多岁时终于找回过老家，见到当时还健在的生母。他很少跟我们谈及那段往事，或许是他那时太小根本没什么记忆，又或许那本是他生命中一处不可触摸的痛。

街口医院的大门口有一排高高的白杨树，大清早就从浓密的树叶里传来声嘶力竭的蝉鸣声，往前是石阶顺着斜坡徐徐下到新安江面。小学暑假时，我常来父亲工作的这家医院小住几日。清晨我坐在白杨树下的石凳上，看隆隆作响的柴油机船犁开如镜的江面，船尾泛起的涟漪层层荡漾的江岸，这边斜地里忽地划出一叶渔舟，如箭般驶向江心，江峰上投来的阳光将它勾勒出一个灵动的剪影。

若干年后我才知道，我没有看见父亲当年眼中

※ 1950 年，新安江上的船民有了一所自己的小学——"水上小学"

※ 水上小学的学生们在船舱里
温习功课

湍急的滩流和躬身前行的纤夫，是因为在下游建了新安江水电站，那是一座解放后由我国自行设计的中型水电站。1982年春天，我就读的小川中学组织学生去参观这座足以激发大家民族自豪感的伟大工程。学校雇了一艘运沙石的水泥驳船，船舱上方覆盖了油布，上百名学生各自携了板凳坐在船舱里。船顺江而下开了两整天，我从油布的缝隙里看，江面越发宽阔直至迷茫一片。对于水电站，我只记得那些巨大的圆柱状的发电机发出轻轻的"嗡嗡"声令我惶恐而颤栗，逃也似的走出电站后，回望那高耸入云的大坝，我很惊奇人类在自己建造的物体面前为何仍然显得如此渺小？

我相信宝利对水电站的印象比我要深刻的多，因为这座水电站曾经改变了他家族的命运。宝利是我初中时的同桌，他家紧挨着学校，庭院里总是晾挂着各式渔网，摊晒着各种鱼干，宝利和他父亲忙着剖鱼、冲洗，他常常在上课铃响后，老师进教室之前的那一刻才冲进课堂，他的衣服上下粘着鱼鳞，浑身有股散不尽的鱼腥味。那时的小川中学没有操场，仅两三幢土墙屋拥挤在半山坡上。班上二三十个男同学住在一间仅十几平方米的宿舍里，常让人觉得透不过气来。一天下了晚自习后，宝利邀我去他家渔船上守护渔网。宝利驾着小舟载着我到江中心他家渔网边，从船舱中搬出一块大石头扔向江里，将船泊住。我们并肩躺在没有篷的船舱里，分不清哪里是渔火，哪里是繁星，两岸江峰只是黑魆魆的影子，半山间仿佛有人家点点灯光。阵阵江风抚慰着我们，也推动着小船轻轻摇晃，让我们有种睡在摇篮里般的惬意。

宝利告诉我，在这水面之下，有他父亲原来的家。那是一座有着高深天井的老式宅院，房子的梁柱比水桶的腰还粗，屋后还有一座花园，因为他们家祖上是经商做生意的，在小川这一带算得上是

※ 船行明镜中——歙南漳潭

一户小有名气的人家。1958年兴建新安江水电站，原本说要到1960年10月1日才蓄水发电的，却突然被提前了一年。由于时间紧迫，又因为被安置在歙县北乡富垌一带路途遥远，宝利的祖父母携带着宝利父亲和四个兄妹，只匆匆收拾了几件换洗衣服便上了路。一路上行人络绎不绝，个个肩挑背扛，衣衫褴褛，走走停停，长吁短叹，一打听，都是新安江沿岸的移民。走了两天两夜到了富垌，连同其他几户移民一起被安置在村中的破祠堂里。不久他们就知道了一个可怕的事实，歙县北乡水田肥美却人口稀少的原因是这里血吸虫病肆虐。"千村薜荔人遗矢，万户萧疏鬼唱歌"正是他们眼前的情景。时间不长，宝利的大伯果然患上了血吸虫病，宝利父亲吓得连夜跑回了老家，而家园却已在茫茫万顷碧波之下。他坐在岸边哭了半天，转身在岸上寻一平坦处搭了个容身的草棚，但这是为当时的政策所不允许的，宝利父亲因此差点被抓去批斗，好在村里跑回老家的移民日益增多，法不责众，靠着一个草棚遮风避雨，靠着在新安江里捕鱼维持生计，宝利父亲硬生生地靠着一双手在新安江边又创建了一个新的家。

夜色浓重的江面上十分寂静，偶尔会有鱼儿用尾巴拍打水面引发一声巨响。宝利说那是上了网的鱼拼了力气在做最后的挣扎，他能从那响声判断出上网的是鲢、草、鲤、鲫，还有那鱼大体的分量。

033 >> > —生厮守一江水

宝利似乎认为这辈子就是为了做一个渔民而来的，初中毕业后，他没有参加中考就平静地回到家中，从此驾着一叶扁舟在江面上，风里雨里独自来往，我则外出求学、工作，回家的路越走越长。偶尔几次经过他家门口，庭院里依旧晾挂着渔网，摊晒着鱼干，门户总是紧闭，门上的对联被风雨吹打得辨不清原来的颜色。

大概是在 2010 年的夏天，小川乡政府举办"有机鱼文化节"，我作为家乡旅外人士代表应邀到会。乡长在大会上说，网箱养殖有机鱼，已经成为我们乡脱贫致富的重要抓手，下一步将成立养殖合作社，做大做强小川鱼产业，提高小川鱼品牌的市场知晓度和美誉度——一席话说得全场热血沸腾；大会主席在宣读"养鱼能手"名

※ 网箱养鱼

单时，我听见了宝利的名字，他和几个人一同上台领奖并与领导握手。毕竟有二十多年没见面了，又或许是他长年在江面上日晒雨淋的缘故，眼前的宝利与几十年前他父亲一个模样。乡领导领着我们去参观养殖网箱，江面上数百只网箱整齐划一地铺展开去，仿佛是一块块秧苗正扬花吐穗的稻田。政府食堂给我们备了桌全鱼宴，在大快朵颐的时候，我似乎看见了家乡的灿烂明天。

宝利瞅了个空当找到我，要了我的手机号码。后来他到市里办事，曾到我办公室小坐过几次，我知道了他拥有十只网箱，每年能有五六万元的收入，他最热衷的话题是关于他儿子的，他儿子曾以全县第一名的成绩考取县中。此后每逢过年，他都会拎了只塑料水桶来找我。里面是四五条两三斤重的鲢鱼或是鳊鱼，我知道这鱼是养在江里的，口感比市场上同类的鱼好很多，价格也高出许多，我想回赠点什么给他，他总是以"自家养的，不值钱"为由婉拒了。

大概是前年的某一天，我从报纸上看到一则消息，说是为了确保新安江作为长三角战略水源地的水质安全，有关部门推动实施新安江水环境补偿机制试点工作，江面上取缔一切养殖活动。我赶紧拨通宝利的电话，接电话的是他的妻子，她平静地告诉我他们家的网箱年前就被清理掉了，宝利去杭州打工了，踩三轮车给人送货。我默默然。今年清明我返乡祭祖，新安江上杳无人迹，江水果然碧蓝清幽了许多。在一处僻静的江湾里我看见一只废弃已久的网箱，心里顿然想起宝利此刻正在杭州某个街头奋力蹬着三轮车。

回望我的人生轨迹，就像一只溯江而上的帆船，鼓荡着风帆不断令我前行的，是我的文学梦。

歙县新溪口中学是我走上工作岗位的第一站，也是我的文学梦扬帆起航的地方。那里有着新安江在歙县境内最为开阔的江面，半山坡上，两座土坯墙的教学楼隔着一个操场孤零零地对望着。过了霜降，簇拥着校园的连绵不绝的橘园里一片金黄，江面上载满了橘子的船只穿梭往来，这是新溪口一年中最为热闹的时光。平日里，山腰间云雾聚散依依，江面上波光兀自潋滟，还有一只老渡踽踽来往。每日有两三班客轮，从上游或下游隆隆而来，在码头上吐纳了几个旅人，又继续向着上游或下游隆隆而去。其中我最为热盼的，是上午十点从下游驶来的那班客轮，它过后不久，那个一袭绿衣的邮递员就会准时出现在校门口的传达室里，从同样是绿色的邮包里捧出散发着油墨香味的报纸杂志，间或还有一只邮寄给我的圆鼓鼓的信封，那是哪家采用了我文章的杂志社给我寄来了样刊。而我最幸福的事情，就是在课堂上给我的学生大声朗读我刚完成的

※ 五月枇杷黄(歙南绵潭)

习作，收获一教室无邪而又钦慕的目光。新溪口中学两年的教师生涯，就像五月里满山的橘子花一样，一丝清苦中回味着浓浓的甘甜。

而在歙县古城里工作生活的五年，使我越发感受到新安江在歙县经济社会发展史上烙痕之深刻。阴雨天，撑一把雨伞出县城南门，穿过有着青石板作栏杆的新安古道，听得见渔梁坝传来"哗哗"水流声的时候，双脚已踏进渔梁千年古街了。脚下的石板依旧光洁，那些深深的勒痕诉说着这里曾经的车水马龙；沿街店面曾经显赫一时的店号只剩下高矗的墙体上一团斑驳的墨痕，店门大多紧闭，偶尔有门半合着，看得见屋内齐人高的柜台和落满尘灰的货架，一个老者佝偻着身子走向更加黝黑的里屋。一只野狗急急走向一旁的小巷边抖落身上的雨水，一株石榴从墙头探出身子，满树繁花兀自寂寞开放，一条老街就像它头顶的天空一样幽暗狭长。及出老街，视野和心情顿然开阔，远处紫阳山葱茏苍翠空蒙一片，山脚有老树人家，江边有一列

白墙黑瓦逶迤而来，建于明
朝万历年间的紫阳桥横跨江
面之上。紫阳桥在徽州古桥
中别具特色的是它的桥拱特
别的高，在那个江面上樯帆
如云的年代里，那些溯江而
上经历了万千风波的船，放
下桅杆，穿过桥洞，眼前便
是日思夜想的故乡，而那些
趁着熹微晨光从渔梁出发的

※ 江岸码头之渔梁古街

船只，穿过桥洞，树起桅杆，扬起白帆，太阳升起的地方云蒸霞蔚，
那里有它热切憧憬着的灿烂前景。在明清千百年间行贾四方的徽州
人脑海里，紫阳桥无疑是一个有关家乡的强烈的精神符号。而此刻
它静沐在冷雨之中，如同一个被世人遗忘的老者，默默地期盼着有
人走近它，倾听它喋喋不休地述说满腹的昨日故事。

　　而不知不觉间，我定居新安江上游重镇屯溪已有二十多个年头
了。二十年来，江面上的渔船和浣洗的妇人不知何时消失了，人们
在江中筑起水坝抬高水位，在两岸用石块砌起冰冷而坚硬的堤岸，
移栽上蓊郁的老树，又在近水处修建亭台楼阁、曲折回廊，白日的

江面上越来越多高楼的倒影，入了夜，笙歌悠扬的画舫驶过光影斑斓的江面。这里的江浓抹艳妆已经没有了清纯和朝气。周末得空闲时，我便骑着单车逃也似的向着江的下游去了，那里平平江面上白鹭低飞，金黄的油菜花簇拥着白墙黑瓦，晨光中有人撒网满江金光荡漾，暮色里老渡驶向老树下炊烟升腾的对岸。桃花坝上桃花开时十里红云，枇杷园中枇杷熟时一江碧水也被染成金黄。蹲坐在江边的礁石上，层层浪花翻转过来，在脚边轻吟低诉，江风拂面，蜷缩的心活泼泼地舒展，思绪便在开阔的江面之外绵延起伏的峰峦间飘扬开去。只愿将此生化作那坡上一株樟树，或是岸边静泊着的那叶扁舟，永远守望着这一方宁静的青山绿水。

※今日新安江码头

站在高高的蜈蚣岭上

这天是公元 2012 年的 6 月 25 日。

接连数日的黄梅雨，这日略略放晴。站在蜈蚣岭村口暖暖的阳光下，四围青山如屏，乱渡的飞云掠过青葱的树林、层层而上的梯地和散若晨星的人家。这个村的先贤们将此处唤作村中十景之一"天外云屏"，作诗赞曰："叠叠奇峰插云天，云屏几处锁云烟，万山环抱须眉观，飘渺虚无拟境仙。"很形象地描绘出了眼前这幅景象。

村口蓊郁的老树下，是建于 20 世纪 70 年代的蜈蚣岭村村部，墙上刷着的标语已经斑驳难辨。村部二楼的会议室里烟雾腾腾，正在召开的会议议题是商讨成立蜈蚣岭村白茶生产合作社的相关事宜。会议室里围坐着的有歙县人民政府分管农业的副县长，县农委主任、璜田乡党政领导蜈蚣岭村"两委"干部，还有蜈蚣岭母树白茶有限公司的老总等人。

蜈蚣岭村党支部书记胡进法坐在圆桌的拐弯处，默默地抽着烟，他琢磨着"生产合作社"这个听上去很耳熟的名词，其实对今天的蜈蚣岭村人而言，是一个全新的概念。作为村里的当家人，他思考的第一个问题仍然是："干，还是不干？"

这个问题至少是第三次摆在蜈蚣岭村党支部一班人面前。

梯 地

第一次向村党支部一班人提出这个问题的，是当年的支部书记方佛先。

那是 1968 年的一个冬夜。蜈蚣岭大队干部和十个生产队的队长，围在一盏昏黄的煤油灯前，偌大的方姓宗祠显得老旧昏暗，刚从大寨参观回来的方佛先正向大家讲述他沿途的见闻，说山西省昔阳县有个大寨大队，在毛泽东思想的指引下，为改变落后的面貌，陈永贵、郭凤莲带领大寨人，战天斗地，艰苦奋斗，治山治水，在七沟八梁一面坡上建起层层梯田，昔日的乱石坡，如今庄稼葱绿，水果飘香，大寨红旗红透全国。如今"农业学大寨"，我们蜈蚣岭人，"干，

※ 蜈蚣岭远眺(歙南)

还是不干？"

　　不时有寒风夹裹雪珠从天井里吹过来往人的脖子里灌，但众人丝毫不觉寒意，反倒觉得内心激情如火。局促于皖南丘陵一隅的蜈蚣岭村，按村里人的说法是"三座大岭五面坡"，当年人口 1848 人，只有耕地 1012 亩，且是"山高土薄石头多"的山坡地。千百年来村人的收入主要靠的是数量不多的茶叶，一日三餐以玉米、小米和红薯等粗杂粮为主，只有极少的人家能去数百里之外的旌德县籴米，也只是嫁娶或过节时才偶尔享用一两次。这天晚上，佛先书记为大家描绘了一幅"喜看稻黍千重浪"的美好景象，一种"敢叫河山重安排"的豪情在每个人的心中激荡。

　　几天过后，里四坞山脚下一声炮响，拉开了蜈蚣岭人"大搞农田水利基本建设"的帷幕。里四坞是蜈蚣岭村前直到山脚一面山坡，坡度接近 50 度，乱石累累，草木稀疏。在这之前，村里干部、老农和土技术员"三结合"调查小组，遍访了村里的每一道山岭，制定了发展规划，按照"宜粮则粮，宜茶则茶"的原则，确定将村后地势相对平缓的上坦岭治理成土壤深厚、能让粮食作物稳产高产的"海绵地"，里四坞一带则开辟成梯地茶园。所谓梯地，就是从山脚开始，开山炸石，围山砌石成塝，然后填土造地，又依坡度周而复始，层层砌塝，层层填土呈阶梯式，外人常以此造田，即梯田，蜈蚣岭村山高缺水，只能造梯地了。

每天早上大队书记方佛先总是第一个出现在里四坞的工地上，脸色黑瘦、体态羸弱的他披着外衣背着双手，将工地上上下下全部巡视一遍。农忙时节，一百多名"治山治水专业队"成员，平日里近千名生产队员，斜挎着装有午饭玉米馍的袋子，随着飘渺的山雾从各道山岭上往里四坞汇聚。各路人马到齐后，方佛先站在地势稍高的坡上，举着铁皮喇叭，在进行战前动员之前，他照例将前一天各施工组、各作业点施工的质量和进展情况细细地点评一番，然后将今日各组的任务逐一做好安排。方佛先 1948 年 5 月就在村里担任游击队领导下的农会副主任，在村里有着至高的威望，此刻的他更像是一位胸有成竹、指挥若定的将军。众人领受了任务走向各自的工作面，叮当凿石声，众人抬石号子声，催促躲避飞石的哨子声，间或有开山炸石的放炮声在谷底久久回响，蜈蚣岭又一个生机勃勃的日子就在这一片喧闹声中拉开了帷幕。据时任璜田公社团委书记、蜈蚣岭大队的驻村干部凌毅回忆，"除非是下大雨大雪下不了工地，那些年里蜈蚣岭人能不上工的，就只有大年初一那一天"。

　　方佛先布置好一天的任务后，蹲坐在一僻静处默默抽着旱烟，有时他也起身往各个工作面巡视一番，鹰隼般的目光所到之处，说笑声顿然收敛了许多。大队长方摇林身材高大，腰板挺直，兼任体力最为繁重的抬石组组长。抬石组的任务就是要把开山放炮炸下来

※ 20世纪六七十年代建成，现在还在使用的蜈蚣岭梯地（歙南璜田）

的石块，抬到砌塝的地方。千把斤的石块用芦皮编成的络兜上，上面横竖插几根粗细不一的杉木，蹲在最前面的方摇林低喝一声"起！"八个汉子抬着巨石颤颤巍巍地往山下去。蜈蚣岭村人把在某方面有专长的人尊称为"师"，胡尚棣是当之无愧的"塝师"，年届五旬的他整天一副乐呵呵的模样，却是个很有名气的石匠，方圆几十里的人家建新房，都能以请到他去卜基脚为幸事。再坚硬的青石，他手持钢钎三凿两凿，立马现出鲜明的棱角来。他告诫徒弟们："砌塝无师傅，全靠垫屁股。"意思是垒砌几米高的石塝无需钢筋水泥，却能几十年经风沐雨岿然不动，关键在于要给每块石头最舒展的姿势之外，石块与石块之间也要用碎石垫砌，使之严丝合缝。胡尚棣砌的塝呈S形，塝口最大限度地外伸，以使造地的面积能够最大化。砌塝组人人敬他好手艺好人缘，评工分数他最高。开山放炮是最为危险的活，自然由青壮劳力承担。石壁过于陡峭，打炮眼前先用毛竹搭一脚手架。一次正抡锤砸炮眼的胡灶玉忽觉脚底一滑，从三米多高的脚手架摔下来顿时人事不知，被众人抬回家去。几天后他一瘸一拐上工地来了，旁人笑他只要工分不要命，他怔在那里不知道怎么回答，边上正畚着土的74岁老汉方玉替他回了一句："人活着总是要做事啊！"其实大家心里都明白，上一天工即便能拿满10个工分，到年底分红也仅几角钱而已。

　　村子里的男人们在里四坞鏖战的时候，村口的喇叭里响起了伟大领袖毛主席的指示："时代不同了，男女都一样，男同志能办到的事情，女同志也能办到。"这句话令村里的女人们心潮澎湃。村后那边那一片山地土名上坦岭，是蜈蚣岭村人世世代代种植玉米等口粮的地方，地势相对平缓，但很瘦瘠，所产甚薄。按照大队的规划是要建设梯地，加厚土层，保持水土，使之成为能使粮食稳产高产的"海绵地"，村中的妇女们组成了以方秀凤为首的突击队，承担了这一艰巨任务。平时见放爆竹都捂着耳朵躲得远远的妇女们学会了开山放炮，解放后才放开的缠足，走在平路上都趔趔趄趄，这时也同里四坞的男人们一样四人成杠、八人成杠地抬着石头。她们解下头巾擦拭着满脸的汗水，憧憬着建成后的"海绵地"里山风吹过麦浪翻滚的景象。她们和村里的男人们一起共同奋

※ 20世纪60年代末，歙南蜈蚣岭村的人们开山凿石砌梯地

斗了十多年，完成了工程总量土石方 17 万立方米、砌石磅 120 多条
的惊天动地的浩大工程，建造了全国独一无二的高山石砌梯形茶园，
几乎给全部荒山秃岭穿上了铠甲戎装，千亩梯地浑然一体，原来的
"三座大岭五面坡，山高土薄石头多"旧貌换新颜。铁姑娘出名了，
魁首当属隔壁村六联的胡早娣，她拥有全国劳模、全国妇女代表、
全国三八红旗手等许多美丽的化环，1959 年还赴京参加中华人民共
和国成立 10 周年观礼，受到毛主席接见，可羡煞了当年蜈蚣岭许多
铁姑娘哦！

"蜈蚣岭大村庄，铜瓢舀水木瓢装"。这句流传在街源一带的

※ 受到毛主席接见的铁
姑娘胡早娣

民谣，带有几分戏谑，也着实说出了
居住山顶之上的蜈蚣岭人用水的艰辛。
所以在 1971 年的那个冬天的早上，当
大队书记方佛先在村口的大喇叭里说
要建小水电、办加工厂的时候，村中
老少无不觉得难以置信。事实上在这
之前，方佛先已带着村里的几个木匠、
砖匠到了街源水电站学习求教。街源
水电站建成于 1962 年，年均发电 2 万
度，是由县里投资在这一带的一座中

型水电站。大队干部们带着水电站的工程师，踏着薄薄的积雪翻山越岭探勘水源选择建站地址，发现有几条山溪虽然一年四季有流水潺潺，但流量偏小，这就需要在半山腰修一条近 500 米的引水渠，把山角坑和五份坑两股山涧的水合在一起，并修建一座 3000 立方米的储水池，才能保证发电所需要的水量，这比建造一般的小水电站要增加不少工程量。街源水电站的工程师把绘制的草图送到蜈蚣岭党支部征询意见时，方佛先目光坚定："就按照这个办！"

县里听说蜈蚣岭大队要建设小水电站，专门拨来 8000 元启动资金，方佛先和支部其他同志商议，认为别的地方比蜈蚣岭更加缺少建设资金，就原封不动地退了回去。党支部提出的口号是："自力更生，土法上马。"为节省买水泥的钱，村里的 10 个石匠齐聚在半山腰的采石场里，叮叮当当敲打了整整 7 个月的时间，凿出了 2000 多块平整方正的青石板，这些石板后来在建造发电站、桥梁等方面发挥了重要的作用，其中 567 块铺在了 480 米长的

※ 三个铁姑娘——蜈蚣岭村铁姑娘突击队成员

※ 衣衫褴褛的建设者们

引水渠的内侧，光滑的青石板在保证水畅快流动的同时也有效防止了渗漏，成就了水利工程里的一道奇观。现任蜈蚣岭村党支部副书记的胡发积1972年春天时还是璜田中学的学生，他清晰地记得，当村里出动了几十个青壮劳力，把发电机组从四十多里外的巨川码头抬到蜈蚣岭山脚新建的水电站里时，却发现发电机的底座没有浇筑。浇筑底座需要大量的碎石，大队一声令下，全村的男女老少齐聚在发电站里敲石子。胡发积放学后走十几里山路回到家中，跟父母一起去水电站里挣工分，到了第三天晚上，困得两个眼皮直往一处合，右手的铁锤砸在了左手大拇指上，顿时鲜血淋漓，怕一旁父母心疼，赶紧从衣服上撕下一布条包裹好作无事状。水电站建成发电那天，蜈蚣岭人像办大喜事一般，早早就来到山脚的水电站。夜幕降临，当众人合力拉开水闸，那位工程师合上电闸之后，亘古以来入夜即幽暗宁静的蜈蚣岭上，家家户户点点的灯光与满天星光交相辉映，在场的人情不自禁阵阵欢呼。时隔40年后的今天，胡发积仍觉得那幕震撼人心的场景历历在目。而小水电站建成给蜈蚣岭人生存方式带来的改变也远远超出了胡发积的想象。紧挨着水电站建起了茶厂，炒青机、揉茶机、滚筒机一字排开，以茶叶为主要收入的蜈蚣岭人告别了手工炒茶的历史；粉碎机隆隆作响，洁白的面粉、金黄的玉米粉从机器下端源源不断地流淌出来，手推石磨、脚踏步臼碾磨口粮的那页历史，蜈蚣岭人用自己的手翻过去了。

从1974年起，璜田公社的驻村干部凌毅领受了一项新的工作任务。这年的元月，蜈蚣岭大队被评为"安徽省农业学大寨先进单位"。著名爱国将领傅作义之女、时任人民日报社记者傅传芳来到蜈蚣岭，与村民们同吃同住一个星期，写成长篇通讯《愚公岭上大寨花》，刊发在人民日报头版头条，蜈蚣岭于是声名远播。原徽州地区教育部门把它作为"学农"基地，在蜈蚣岭"学农"的日子，成为20世纪70年代中学生那个群体共同的人生记忆。全国各地的参观学习者也

※ 蜈蚣岭村94岁高龄的胡秋香老人作为千亩梯田的建设者、参与者、见证者、开拓者之一，追忆起当年和乡亲们一起用双手修建千亩梯田的场景，仍激动不已

纷至沓来。凌毅新的工作任务就是带领他们参观蜈蚣岭水电站、里四坞梯地和上坦岭"海绵地"，举着铁皮喇叭向他们介绍蜈蚣岭人凭着钢钎和抬杠，凭着布满老茧的双手和肩膀、战天斗地、重整河山的事迹。"除了大忙的茶季，几乎每天都有人来参观学习。"凌毅回忆说。蜈蚣岭条件简陋，安排好他们吃住成了一项重要任务，"学农"的学生们自带了口粮，在茶厂里为他们砌了烧饭的锅灶，晒粮的竹簟摊开，便是他们睡觉的床。对那些来参观的农村干部，蜈蚣岭人做玉米馍款待他们，村里几十名主妇聚集在大队部里，她们做馍拍打案板的声音像喜庆的鼓点，馍焙熟后浓香四溢，整个山村沉浸在难以名状的幸福之中。

蜈蚣岭人的治山治水工程一直持续到 1983 年。十多年里，共投入劳工 41.3 万个，砌石塎 120 多条，其中最高达 7.7 米，最长达 976 米，建成梯地茶园近千亩。今日的蜈蚣岭显得宁静安详，站在村口，看层层梯地一直绵延到山脚，云雾轻绕，鸟雀啁啾，茶树葱茏一片。当年挥汗如雨开山凿石的人们多半已入耄耋之年，有的已悄然作古，而这一望无际的梯地，便是蜈蚣岭第一代共产党人带领人民群众，用血肉之躯筑成的永不倾倒的丰碑。

2012 年 7 月，蜈蚣岭梯地被安徽省人民政府列为第六批省级文物保护单位。

公 路

发源于长陔岭观音亭尖的街源河，化作深潭与浅滩，蜿蜒东行八十里后与新安江汇聚。三个乡镇、一万多户人家的白墙黑瓦如晨星般洒落在河两岸连绵的山峦上。1988 年，与街源河依傍而行的街源公路建成通车，那些世代居住在山梁上的人家，纷纷下山沿公路两侧建起新房。但这里的山太过陡峭，山脚除了公路外再也没有平

※ 才建成的蜈蚣岭公路(歙南璜田)

坦的空地，于是公路外侧的人家只能将基脚下在河道里，屋面紧挨着公路路牙；或是在公路内侧寻一山凹，将房子勉勉强强塞进去。

1991年春天，时年34岁蜈蚣岭人胡进法的人生轨迹，在与时任村党支部书记方成权的一场谈话之后，发生了彻底的改变。胡进法17岁学成做砖工的手艺后闯荡社会，当时建筑市场正风起云涌，胡进法带着他的十六个徒弟先后承建了街源里璜田乡的人会堂，胡埠口供销大楼，甚至在毗邻的浙江省淳安县城里也有着他们的建筑工地。方成权与胡进法谈话的意思，是支部鉴于他年轻、能干、又是党员，建议他回来为家乡建设做点贡献。胡进法二话没说，赶回工地将他刚添置不久的几件施工机械变卖给了一位徒弟，就回到了家乡。不久他被村民们推选为村委会副主任，当年冬天，当选为村委会主任。

胡进法带领村民们翻山越岭引来了高压线，蜈蚣岭人从此有了一个个灿亮的夜晚；他们从五里外另一座大山坳里接来清亮的山泉水，每年夏天全村老少彻夜围着脸盆大的水窖等水喝的辛酸，已从蜈蚣岭人的记忆里渐渐淡去。但在胡进法的心里，却一直有着一个解不开的结，那就是蜈蚣岭村的公路问题。街源公路上车辆来往，给沿路村庄带来便利令蜈蚣岭人艳羡不已，但蜈蚣岭村离公路有十里之遥，四百多户人家散落在三座大岭五面坡上，外人称这里是"望见屋，走的哭"。意思是那人家房屋已遥遥在望，但一路行去，那坎坷崎岖的山路似乎总没有尽头，外人若是负了重，行不多远便觉双腿如灌铅般沉重。随着村里外出务工的人员逐年增多，需要外销的茶叶行情向好，蜈蚣岭人想开通公路的愿望越发迫切了。支部书记胡进法是县人大代表，一连几年他的建议案都是呼吁政府部门立项建设蜈蚣岭公路，也多次带着"两委"其他干部到交通、公路部门去寻求帮助，但有关部门派员来勘测之后，明确答复村"两委"："蜈蚣岭村的地势过于陡峭，不适宜修建公路。"

这样的答复并没有使蜈蚣岭人绝望。在党员大会上，胡进法把蜈蚣岭修公路"干，还是不干"这个问题交给大家讨论，这显然是一个蜈蚣岭人普遍关注的话题，会场上群情激昂，大家争先发言。最后，胡进法对大家的发言进行总结：一、这条路蜈蚣岭人自己建；二、建路的经费通过拍卖村里的茶厂、水电站、荒置的小学，发动村民捐款等渠道筹集，不足部分村"两委"干部负责筹借。胡进法说："就是砸锅卖铁也要把路建起来，不能让子孙再吃这没路的苦了。"

村里的茶厂、水电站和废置的小学一共拍卖了36万元，村民们慷慨解囊，不到一个月的时间就募得捐款10万元。通过公开招标，村委会主任胡合法与川沙施工队的负责人签订了公路建设合同，川沙修建队以每公里12万元的造价承建5公里的蜈蚣岭公路，这天是

2007 年的 8 月 28 日。

开山炸石的声音再次在蜈蚣岭寂静的山谷里回荡，隆隆作响的推土机、挖掘机让蜈蚣岭人着实领略了机械化带来的施工进度。而正当他们满心欢喜地期盼着公路能早日建成时，一场危机却已经开始酝酿了。原来这年的冬季，雨雪天气多于常年，有几处新建的涵洞发生了垮塌，有一些地段施工方未能按照村委会的要求施工，双方多次商谈也未能达成一致意见，路基勉强建成后，修建队竟撤走了人员和机械，村委会要求进一步商谈的要求未能得到施工方的回应，无奈之下，村委会只得自行组织村民继续施工。时隔不久，村委会忽然收到了县法院发来的传票，原来那家修建队已起诉到法院，要求村委会支付剩余的工程款。村委会这时纵有万般冤屈，也是百口莫辩了，因为他们未曾料到对方会去法院"打官司"，未及时收集有关的证据。律师告诉他们，如果村委会不自行组织施工，而是先去法院告修建队违约，要求他们承担违约责任，事情可能会是另一番结局了。最终这场官司在法院和当地政府的协调下，以村委会支付 7 万元工程款了事。胡进法事后感慨：现在是法制社会了，村委会也要学法用法，学会用法律来保护自己的权益。

经历了这番波折，胡进法和"两委"一班人并没有气馁，而是多方奔走，希望能得到上级党委政府的关注和重视。2008 年 6 月 21

日，时任歙县县委书记、县人大主任滕祁远带领县交通、公路等部门人员来到蜈蚣岭现场办公，村民们自筹资金建公路却遭受挫折的故事令县委书记深为感触，他当即拍板，由县财政拨付44万元支持蜈蚣岭公路建设，并要求交通部门在公路硬化时予以帮助。村委会组织村民们将公路的路基重新整修以后，上级支持浇筑水泥路面的120万元钱也拨付到位，蜈蚣岭上下群情振奋，胡进法要求全村的党员们多上义务工，以便在资金有限的情况下，把路修得更好。许多在外打工的青年闻讯赶回家上工，鲜红的党旗在工地上飘扬，四十年前战天斗地的场景重现在蜈蚣岭上。酣战四个月后，蜈蚣岭人敲锣打鼓，燃放爆竹，庆贺公路竣工通车。

公路玉带般缠绕在蜈蚣岭的山谷间，它承载着无数代蜈蚣岭人走出大山的梦想，更寄托着今天这里的人们实现脱贫致富、融入现代社会的愿望。但他们修建公路的故事还远远没有结束，胡进法正盘算着如何进一步筹集资金，使公路能从村本部延伸到散落在几道山岭上的村民组去，让更多的蜈蚣岭人能享受到公路给他们的生产生活带来的便利。

白　茶

蜈蚣岭人对白茶其实是心怀歉疚的。

白茶是什么时候出现在茶园里的？蜈蚣岭从没有人去考证过。只听说在很久远的时候，这山上住着个叫程道仙的道士，用淬炼剑的水熬白茶给乡邻治病，但人们只是把它当作传说，反倒觉得与其他碧绿青葱的茶叶相比，白茶茶形单薄，色彩怪异，令人嫌弃。

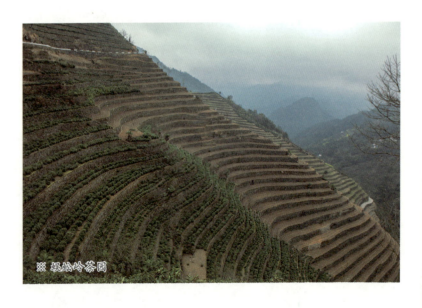

※ 蜈蚣岭茶园

057 >> > 站在高高的蜈蚣岭上

胡武海是第一个真正认识蜈蚣岭白茶价值的人。他是六联上江村人，与蜈蚣岭村隔着一道岭。1953 年从歙县中学毕业后，考取了祁门茶叶学校，那是一所建校于 1918 年，在全国行业内有一定知名度的茶叶专业技术学校。1958 年的 9 月 16 日，毛泽东主席视察安徽舒城，他眺望着苍翠丛林说："今后山坡上要多多开辟茶园。"这句话在茶校毕业生胡武海心里深深扎下了根。他一生的大多数时间，辗转在无为县、歙县岔口、大阜、霞坑、洽舍等地的农技站任职，工作任务就是指导农民开辟茶园，改土、改园、改革茶叶采摘管理，不断引进外地优良树种，提高本地茶叶品质。

20 世纪 80 年代，胡武海在一本学术杂志上得知浙江省安吉县农业科技人员插穗繁育白茶成功的消息。从事茶叶研究多年的他对白茶有一定的了解，白茶其实是茶树的变异品种，这种变异是由于特殊地理、气候条件，使茶树在低温时抑制了叶绿素的合成，由于叶绿素合成受阻，导致代谢机能产生变异。这种茶春季发出的嫩叶纯白，在"春老"时变为白绿相间的花叶，至夏才呈全绿色。其实它很早就进入了人类的视野，宋徽宗赵佶在《大观茶论》中说："白茶自为一种，与常茶不同，其条敷阐，其叶莹薄，崖林之间，偶然生出，虽非人力所可致，有者不过四五家，生者不过一二株。"又说："芽英不多，尤难蒸焙，汤火一失，则已变为常品。"安吉白茶的繁殖成功，触发了时任歙县茶叶研究所所长胡武海对蜈蚣岭的白茶进行研发繁殖的念头。因变异而导致的白茶属于不育系，不能利用其果实繁殖后代，胡武海采取无性繁殖的方法，从蜈蚣岭白茶母树上剪取了枝桠，在与蜈蚣岭同一海拔高度的自家老屋前空地，和位于县城边上的县茶叶试验场里同时进行扦插实验，经过四年的摸索，试验场里的新苗长势羸弱，品质退化，而老家屋前的新苗保持白茶固有的特性，与母树的性状一致，生育期和长势比较整齐，新梢大小、持嫩性和色泽十分稳定。

胡继高 1990 年从蜈蚣岭村党支部书记的位置上卸任之后，就一门心思带领村民们打造无公害茶叶基地，并聘请了胡武海担任技术顾问。当胡武海把他繁殖白茶新苗成功的消息告诉胡继高时，胡继高起初并未在意，后当他得知浙江安吉白茶在当地政府的大力扶持下，已发展成蜚声宇内的名优特茶，价格数倍于他们正生产着的有机茶时，胡继高隐隐有些心动。于是由胡武海无偿提供技术指导，胡继高和村委会主任胡合法等在村里搞起了白茶的扦插繁殖试验，并很快获得成功，育成的新苗陆续交给村民零散种植。

2002 年 6 月 4 日，胡继高携带蜈蚣岭有机茶参加在芜湖召开的中国国际茶业博览会，顺便也带上从各家各户收购来总共只有九两的白茶。会场上客商们似乎对那白茶更感兴趣，一位客商甚至给那九两白茶开出了 8000 元的价格。这使胡继高深感震惊。为弄清蜈蚣岭白茶的真正价值，胡继高和胡武海将白茶鲜叶蒸制成青样，送到农业部茶叶质量监督检测中心进行生化分析鉴定。鉴定报告表明，蜈蚣岭白茶氨基酸含量、铁含量分别是一般绿茶的一倍多，咖啡因接近茶叶含量的最高值；与浙江安吉白茶相比，氨基酸和茶多酚的含量分别比其高出 0.16% 和 119%；从外形上看，安吉白茶虽然叶显白色，但主脉仍呈微绿，远没有蜈蚣岭白茶白得纯正、透彻。专家们认定它比安吉白茶变异程度更大，品质更优。中国茶叶协会原理事长程启坤把它命名为"徽州白茶"，并欣然题词："徽州白茶，稀有珍贵，叶白味鲜，品质超群。"安徽农业大学王镇恒教授对它更是喜爱有加，他的评语是："蜈蚣岭村，稀有茶树，芽叶玉白，嫩香味爽，健身观赏，茗中珍品。"

农业部的鉴定让胡继高等人发展蜈蚣岭白茶的信心倍增，与村党支部书记胡进法商议后，认为单凭蜈蚣岭村自身的力量，难以壮大生产规模，形成产业优势，于是一行人等专程去县政府向分管农业的副县长作汇报，希望政府能够扶持蜈蚣岭发展白茶，那位副县长却认为蜈蚣岭山高地少，交通不便，终究难成气候。在场的胡武海解释说，白茶一旦失去蜈蚣岭独特的地理位置和气候条件，其遗传特质将会发生改变，若蜈蚣岭全村都种植白茶，也足以形成一定

的市场规模。那位副县长笑笑而不作答。走出政府大门，胡继高先前心中熊熊燃烧着的火焰已悄然化作灰烬。回到家中时，在山西太原开茶庄的儿子捎信来，要他过去帮助照看孙子，胡继高收拾了几件衣服，次日怅然离开了家乡。

村委会主任胡合法仍时常出现在村口他家那不足一分的承包地里，给那些扦插的白茶新苗除草、施肥、喷洒农药。

蜈蚣岭白茶的命运直到2010年才出现转机。

歙县方村人方良伟19岁离开家乡，先后在山东、东北和屯溪经营茶庄，至今已在茶业圈子里摸爬滚打了二十多年。2010年春茶上市时节，有人走进方良伟开设在屯溪的茶庄，向他兜售一小包白茶。见多识广的他眼前一亮，但他就是不敢相信这茶竟然产自一个叫蜈蚣岭的小山村，经多方查证属实后，他将蜈蚣岭生产白茶这一消息告诉了朋友刘平，刘平是一家文化产业发展公司的老总，对茶叶有着特别浓厚的兴趣。那年夏天，两人驾着车，沿途不断寻访打听，终于到了蜈蚣岭村。说明来意后，村支部书记胡进法和村委会主任胡合法热情接待了他们，介绍了蜈蚣岭白茶生产情况，领着他们看了村里的白茶扦插繁殖基地,胡进法希望刘总能投资支持白茶发展，刘平欣然应允。

不久，刘平投资的黄山市蜈蚣岭母树白茶有限公司宣告成立。

公司租赁了村中最好的"海绵地",将散落在铜锣弯、青尖和长岭上仅存的18棵白茶母树移植到这里进行集中保护。以每株两元的价格,从扦插繁殖户那里购买新苗十余万株免费发放给农户种植。2011年新茶开采,蜈蚣岭村一般绿茶鲜叶价格是每斤50元,而公司对白茶鲜叶的收购价每斤达200元,蜈蚣岭人喜笑颜开,奔走相告。

而支部书记胡进法却隐隐感到担忧,他认为母树白茶有限公司的经营模式过于粗放,茶叶的品质取决于日常管理,如果不在这方面做足文章,生产不出高品质的白茶,不仅会影响公司的利益,最终也会损害蜈蚣岭白茶这一品牌。于是在他的积极倡导和吁请下,商讨成立蜈蚣岭白茶生产合作社座谈会于2012年6月25日如期召开。

与会人员认为,成立以村"两委"为龙头,白茶种植户为主体的白茶生产合作社,推进白茶生产向规模化、规范化方向发展,不仅十分必要,而且势在必行。合作社的主要任务是指导农户做好茶园的日常管理,开展白茶采摘、制作方面的业务培训,努力提升蜈蚣岭白茶的品质。当前的首要任务是制定合作社章程,明确社员的权利和义务,并且要广泛宣传,使广大种植户都能积极踊跃地加入到合作社中来。

母树白茶有限公司的老总刘平表示,成立生产合作社与公司利益密切相关,公司将在农药、化肥和生产技术方面倾力支持。公司本身要努力做好母树白茶的商标注册、外包装设计、白茶品质检测和品牌营销宣传工作，尽快提升蜈蚣岭白茶的市场美誉度。

分管农业的副县长作了会议总结，她说，蜈蚣岭白茶的亩均效益可达 3 万元，现已有白茶园 105 亩，如果明年底新增白茶 200 亩、到 2015 年底发展到 1000 亩这一目标能如期实现的话，单白茶一项，每年能为蜈蚣岭人创造收入 3000 万元。县委、县政府已将蜈蚣岭白茶列入《歙县十二五茶产业发展规划》，将对蜈蚣岭白茶业发展给予大力扶持。她希望蜈蚣岭党支部努力搭建好生产合作社这个平台，发展、利用好白茶这个上天赐予的"金疙瘩"，带领蜈蚣岭人尽快步入发家致富的快车道。

一幅美好蓝图正在蜈蚣岭人面前徐徐展开。

"层峦耸翠附青云，岭号蜈蚣远近闻，此地自古称胜景，总因偃武与修文。"这是先贤们吟咏的蜈蚣岭十景之另一首《蜈蚣胜景》。如今的蜈蚣岭更是声名远播了。究其原因，并不仅仅在于这里的人"偃武"与"修文"，而更在于这里一届又一届的党支部，一代又一代的共产党人，忠诚坚贞，坦荡无私，带领着蜈蚣岭人，在建设美好家园的道路上，栉风沐雨，与时俱进，谱写出了激昂高亢而又感人肺腑的华彩篇章。

飞布山

宋村现在已很有些名气了。这个局促于歙县县城东北向十余里的百来户人家的小山村，竟盛产晶莹剔透、粒大味美的葡萄。宋村人种葡萄显然是近些年才开始的事情，也不知是一种什么样的机缘，使宋村人选择了种植葡萄作为发家致富的道路，据说这一带每年光葡萄的产值已超过亿元。环绕在山村周围的葡萄园在十月的阳光下显得有些寂寥，但它们带来的效益已经使那个老树下的村庄生机盎然，脸面光鲜。

与种植葡萄相比，宋村人每日面朝着的飞布山成名就早很多了。宋朝人所著的《太平广记》就提及飞布山，《洪贞》篇中说，唐开元中，歙县有个叫洪贞的人拜一个蛟龙变成的道人为师，并遍访名山为道人寻找卜居之地。到黄山，洪贞问此山何如，道人曰："确而寒。"次到飞布山，又问之，道人曰："高而无辅。"歙县的清末翰林许

　　承尧在其所著的《歙事闲谭》中，详尽地述及飞布山的由来，说它在"郡（徽州）北十五里，志载昔世乱，有主簿葛显率民避乱于此，因名主簿山，唐天宝六年，敕改飞布"。2007年10月的一天，当我和同伴站在宋村村口的老树下，仰望即将去攀爬的飞布山时，见它拔地而起，如同一个峨冠高人打坐在面前，而只有其冠的部分插入蓝天云絮之中，也就大体了解了千年前那个道士所说的"高而无辅"的含义了。

　　按照村人的指点，我们跨过宋村前的古石桥，从两三户院子晒满了金黄的玉米穗的人家屋后，踏上了前往飞布山的路。

　　虽已是十月天，但头上蓝天白云，阳光依旧十分刚烈。徐缓向上的道路两侧是层层而上的茶园，其间零星散落有山茱萸、黄桃，果实正微微泛黄的柿子树，半开的徽州贡菊花。此刻显然不是农事繁忙的时节，除了一两个从山上背负着柴薪下来的农人与我们擦肩而过，远处山坡上一对婆媳样的农妇正躬身采摘着菊花而外，天地间一派静谧安详。上行五里许，忽见山之里侧有一团浓重的绿荫，相比于周围种植着低矮作物的坡地，显得有几分突兀。走进绿荫之中，见十几株樟树、枫树和榆树，每株都须四五个人方能合抱，老树上藤蔓纠葛，冠盖交错，遮天蔽日。根据老徽州住家的惯例判断，这似乎是一座村落的水口，但却许久不见人家和屋宇，正有几分疑

※ 山村秋色(歙北)

惑，上了几步石阶之后，果然见一株挂满金黄色的累累果实的银杏
树下有房屋层层叠叠，真不知这山坳里竟隐藏着一个不小的村落。
村里的房子大多门户紧闭，偶见一家门半开，满脸沧桑的婆婆坐在
门槛上含饴弄孙，见了我们显出讶异的神色。村的尽头有一处几十
平方米大小的平坦地，一侧两间低矮的平房，从墙上模糊的标语可
以看出这是一所废弃的小学，有半间被改造成了烘房，一位正往锅
炉里添煤的男子——这是我们在这个村里见到的唯一的一个青壮劳
力，告诉我们他正在烘焙菊花，村子的大名叫飞川，俗名叫飞布山。
村子里现在虽然还有三十多户人家，但青壮年基本都出去打工了，
村子里自然见不到什么人。"待在家里总归没有什么收入的"，中

年男子憨笑着说。

站在人家屋后看飞布山村，黑乎乎一片的屋顶间，偶尔露出坍塌了墙壁的房屋的梁柱，其上似乎有一两缕的炊烟在若有若无地飘。想昔日飘蓬乱世，这里就是人们神往的世外桃源；如今欣逢盛世，政通人和，经济社会蒸蒸日上，眼前的山村就像一位被遗弃的老人茫然地打量着周围的一切。

往上，是大顷的竹园，一眼望去尽是密密匝匝笔直而修长的毛竹，头顶竹叶飕飕作响，起伏作波浪状，身上却没有一丝凉风拂过。在没有春笋破土萌动和拔节的声音的竹园里行走，只觉得冗长和单调，一股强烈的困乏涌上了全身。

既出竹园，太阳已在头顶，在我们面前出现的是两三百平方米大小的茶园，可能是山势太高的原因，茶园乏人管理，杂草渐与茶树同高。从史料上看，这里就是"主簿寨"的遗址，是当年那位姓葛的主簿筑山寨保全百姓的地方。茶园里有巨大而黝黑的石头，想来当年曾做过山寨的基脚。在那场歙县县志也语焉不详的战争里，山外狼烟四起，流血飘杵，这座山寨里的子民们当用一种什么样的眼光瞩望着让他们安享这一方青山白云的葛主簿的背影？

"主簿寨"往上，山势紧收，就到了我们先前在山下所见的"峨冠"的部分。这里显然已罕有人至，杂树高过人头，我们只能循着一条路的影子跌跌撞撞地往上攀爬。行不多远，见前方一巨石跃出树丛，因其形矗立如农村人用于涮洗碗筷用的干丝瓜络，先人以丝瓜幔名之。"奇石拔地，可十丈，中裂如星，曰丝瓜幔"，徽州知府江恂在《建飞布祥云岩真武殿记》中这样描述那块巨石。在巨石之侧，乾隆乙未年间由"通议公昉，孝廉公嘉诂、州佐公振鹍等倡建。而慈川汪君玉景董其工，各乡士民共成之者"建造了一座"真武殿"，同时将那块名为丝瓜幔的岩石改名为"祥云岩"，意在"广齐云之泽而更之为合郡祝嘉祥焉"。"真武殿"的规模、气势，文中未载，不可考，"真武殿"的遗址应该近在咫尺，但荆榛莽莽，无以踏访。

好在在荒草杂树丛中挣扎的时间不长，我们就攀爬到了山脊之上，这时有一路道从下方松林间逶迤而来。路是透露着古老韵味的

※ 炊烟人家

红麻石石阶，路面因岁月的冲刷斑驳不堪，但整体仍显齐整，这应当是前人登飞布山所走的路，站在松风古道中间，凉风习习而来，令人遐思无限。

踏着齐整的古道，登临飞布山顶显得轻松惬意了许多。山顶是一块十几平方米平缓的坡地，荆榛掩映处有一个黑魆魆的洞口，山顶上有石洞，这也是飞布山的灵异之处。传说此洞通海达洋，深不可测，当地人在山下见有云絮从洞口飘出，弥漫山椒，则是阴雨天气将至，故称此洞为"雾气洞"。当年飞布山上佛事兴盛的时候，有好事者在洞上筑一石室，内祀甘露如来像，更名为"甘露洞"，祷祝风调雨顺的香火曾经绵延了几个世纪。如今那石室已无迹可寻，洞口被累累乱石堵塞，不知出于何故，不知何人所为。

乾隆年间飞布山下的江村人江登云曾游此山，并撰有《游飞布山记》，称飞布山上还有"石尽奇古"的金龙洞、蝙蝠洞，有"泉从沙中出，沙细如银，味甘冽，春月游人结侣，品泉于此"的白沙泉等景观，但松涛阵阵，山上除我俩外空寂无人，要对飞布山做进一步的探访，只得怅然留待日后了。

在歙县丛山之中，飞布山的海拔并不算高，但其位于徽州盆地与丘陵的结合处，势如拔地而起，东南向包括歙县县城在内的数十里的烟霞可尽收眼底。"而来俯视诸山，如长风鼓浪，起伏万态，

※ 飞布金秋（歙北富堨）

五溪环绕如带，各村落散布，若弈子在枰，历历可数。遥望白岳，隐跃云际，向传为真武著灵处。"徽州知府江恂这样描绘当年他登临飞布山的所见。我们眼前的风景大致如斯，天地依旧，山风依旧，只是风景与人有关联的事物，和看风景的人不一样而已。

由于乘坐的车子停放在宋村，我们只得循原路回到山下。几位坐在村口老树下闲聊的老人们见我们风尘仆仆的样子都露出探询的目光，得知我们刚从飞布山顶下来时都啧啧称奇，一位老妇人说她还从未到过山顶，只在主簿寨那一带拔过野笋。一位老汉说他是村里为数不多的到过"雾气洞"的人，那是 20 世纪 50 年代，作为民兵的他奉命去那里搜寻空降的"美蒋特务"，……飞布山对天天面对它的村民们来说已是一个十分久远的故事了。回头仰望，曾经游人趋之若鹜，而今已被世人淡忘了的飞布山，依旧云絮轻裹地矗立在蓝天之下，使我们有种刚刚从梦境中走出的感觉。

探访箬岭关

离开尚在朦胧睡意中的古城歙县，接近古镇富堨时，2006 年深秋的朝阳轻柔地披在我们的双肩上。我们在小镇马路边的小摊子上吃早饭。摊主是当地的一对中年夫妇，见了我们的打扮都露出惊奇的神情。而当他们得知我们将徒步行走到箬岭关时，表情益发显得惊奇，显然箬岭关在他们眼里只是一个遥远而古旧的概念，"那有多远啊？"他们惊叹道。

从富堨溯富资河而上，路两边渐渐显露出几分山水诗情来，平阔的田畴因为正处于深秋的季节而色彩斑斓，绝大部分的稻田尚未收割，金黄色的谷穗在秋风的抚慰下轻柔地摇摆。在它们的周围，萝卜苗已是绿意盎然，油菜田则努力从泥土里探出身子。不知从哪个角落飘来燃烧稻草的蓝烟缭绕在将红未红的乌桕树上，这股久违了的亲切的气味令人生出几分莫名的感动。走过老树绿竹掩隐着的村庄，白墙黑瓦的老屋门户虚掩，花发老人蹲坐在墙角咀嚼往事，琉璃瓦铝合金的小洋楼显耀般地矗立在村头。一群青壮男女正奋力地往车上搬运刚收割的成捆的甘蔗，他们正用自己的汗水酿造甜蜜。一路行去，正在锄田的农人和在村头闲聊的村姑向着背着行囊脚步匆匆的我们指指点点，想起两句诗："你站在桥上看风景，看风景的人在楼上看你。"

中午时分抵达许村。许村我已到过多次，它旧时以穿村而过的昉溪为名。村中的许姓子弟在他们的宗谱里很自豪地写道："徽属六邑，而称富庶，徽为最。歙之名乡虑数十，昉溪为最。昉溪在城（歙县县城）北四十里，平畴沃壤不嫡数千亩，四山环合如城，第宅鳞

※（歙北）许村印象

次栉比，皆右族许氏之居焉，其人物衣冠甲于他族。"这座鼎盛时号称"千灶万丁，十里长街"的富贵荣华最终在太平天国起义的战火中化作一只只翻飞的灰色蝴蝶，只留下山墙错落、脊线纵横的廊桥，二三层各有八只飞翘的屋檐的"八角亭"，以及散落在村中的明、清牌坊，让人们凭寄一分怀古之幽情。

因为下午还有许多路要赶，我们不敢在村中多作停留。许村前行，两旁已不见田，逼仄的山势益发显得高峻，有村民持长竿在山坡板栗树林里收获板栗，孩童在树下惊呼跳跃。午后的秋阳显得焦躁甚至有些暴戾，使继续徒步前行的我们口干舌燥，疲倦不堪。经过一个叫五猖庙的村子，人烟渐稀。三五里不见人影之后，终于有了一

※箬岭古道——徽北许村镇境内

户孤零零的人家，门口的坦上整齐堆放着劈柴，一株猩红的大丽菊之外还有一只形似铁锅的卫星天线论证着这里与山外的世界其实并不遥远。进屋讨一碗水喝，家中只有一对母女，脸上洋溢着山里人的淳朴和热情。她们正小心翼翼地将一只只青柿子码放在竹篮子里，并在柿子的蒂部撒上一些细盐，说这样可以使柿子熟得更快更透。闲聊时那位母亲说她丈夫长年在外打工，女儿在许村中学读初三，只是周末才能回家陪陪母亲，她却从不觉得寂寞，因为家里养着三头猪、二十来只鸡，还有屋外漫山昼夜聒噪不歇的鸟和四季招摇的花。母亲说这些的时候，那个十多岁的女孩在一旁羞涩地笑，使人仿佛置身于"人面桃花相映红"的诗境之中。

※ 古道人家——歙北许村镇境内箬岭古道

脚下的路不知何时变成由青石板铺就，同伴们说这就是古徽州的官道了。拾阶而上，道路里侧是层层而上的茶园，外侧则是青翠茂密的竹园。远山随着我们上行的脚步而渐渐低矮下去，不知从何处飘来的岚烟把它们遮掩而显得婀娜灵动起来。待我们终于看见并站在高处俯看将安排我们这晚住宿的茅舍村村长叶阿牛和村支书叶万年时，他们的身后已是灯火粲然。

餐桌上的话题主要围绕着茅舍村的昨天、今天以及我们明天将去探访的箬岭关展开。村领导说茅舍村是从箬岭关进入古徽州的第一个村落，距箬岭只有五华里。在古徽州人人都从官道行走的年代，这里几乎家家都开店，主要是米店和招待过往行人的饭店旅舍。他们的神色显露出对那个年代的神往。自从20世纪二三十年代芜湖到徽州公路的开通，箬岭关和它前面的官道很快被世人淡忘。这些年村里种植了杜仲、厚朴和望春花，但都还没有产生效益，因此这个有五十多户人家的小村，以青壮劳力外出打工为主要收入。餐桌上有勾人食欲的红辣椒炒火腿片，有甜如蜜的清蒸老南瓜，村长要我们尝尝桌上的青菜和萝卜，说他们这里种青菜萝卜，只需找寻一处较为平缓的山地，点一把火将野草烧了，待灰烬的余温散尽，撒下一些萝卜和青菜的种子，再也不去过问，只待要食用时去采摘便可。"真正的绿色无污染啊！"他们笑着说。尝了几口，果然异乎寻常的脆嫩可口。

白天旅途的疲倦和山村夜的静谧使我睡了一个多年未曾有过的甜美而酣畅的觉。被鸡啼和鸟鸣唤醒的时候，山的那边刚泛鱼肚白，脚下不知是朝雾还是炊烟在升腾游走，若不是不知何处传来隐隐的人声，真怀疑自己贸然闯进了仙界。

　　早饭后，村支书叶万年将一把柴刀别在后腰，他要送我们到箬岭关口。茅舍村的几十户人家散落在绵延青山的岭巅或是山坳间。出了村口，清一色的青石板铺成的古官道有两米多宽。古代徽州居于万山之中，与外界交通"皆鸟道萦纡"。支书介绍说，眼前这条官道是隋朝末年"举兵保州"的汪华率众开凿的，它的开通改变了此前徽州人的交通仅依赖新安江水运的局面，使徽州人能够取道青弋江进而抵达长江水系，使"徽贩至芜湖，为期不过十日"，徽商的脚印"西抵四川，北达两京"成为现实，他们头顶的天空忽然间开阔了许多。青石板上的斑斑磨痕印证着当年奔走在这条道路上的贩夫走卒们脚步的艰辛和匆忙。如今，这条路上虽常年难见一个行人，但每年立秋后的茅舍村民们都会自发地来到官道边，割去丛生在石板路中间和两旁的荒草，使得千年古道风采依旧。

　　行走了一个小时左右，我们到了箬岭关前。箬岭关显然没有我们想象中的那般壮观气派，那城门似乎容不下两人平行而过，但关隘石砌的部分保留得十分完整，城门之上"天险重开"四个大字清晰可辨。正是在这座关隘之前，千百年来有多少徽州人为了生计抛妻别子，一柄雨伞一挂包袱步履沉重地来到关前，久久地伫望着青山之外家乡的方向，然后毅然决然地走出关去，从此踏上了渺不可知的前程；也有贾游他乡多年归来，无论是腰缠万贯还是衣衫褴褛，进得关来一见这方已有几分陌生的山水，同样是两行清泪长落襟前。

在箬岭关下十来米处，是一座庙宇的遗址。这是当年徽州祭祀越国公汪华的场所。徽人供奉汪华，显然不仅是因为他开凿了箬岭的这条官道，还因隋朝末年，汪华率穷苦民众揭竿而起，占据了徽州及周围六个州。后在其掌政的十余年里，中原群雄割据，战火纷飞，生灵涂炭，唯其所辖的六

※ 天险重开——歙北许村镇境内箬岭古道

州莺歌燕舞，宛如世外桃源。唐高祖初定天下后，汪华审时度势，上表归附朝廷。朝廷表彰他"保境安民，镇静一方，以待太平，英武诚实而识大体"。受其庇护的徽州乡民们敬奉的香火一直绵延不绝，到了"文革"时期才遭毁弃。从废墟里断成数截的石碑上看，徽人最后一次捐款修缮这座"汪公庙"是在清朝道光年间，但这里的人显然没有把他遗忘。前些年许村一带天旱，茅舍村里的长者们在这仅剩三面石墙的旧庙里再次安放了汪公的牌位，祭拜祷雨，不

※ 箬岭秋色——箬岭古道旌德县境内

久果真天降甘霖。此后每有过往者都要进来祭拜一番。同行者特意备了蜡烛香火，于是我们也焚香烧纸，向先贤表达景仰之情。

穿过箬岭关口，眼前果然是"天险重开"，青山莽莽，层层叠叠直到天际，只是下山的道路由于乏人行走，已被荒草覆盖，我们只能人人持一小棍摸索前行。越往下越草深林密。而许村林场的工人正在山顶伐木作业，他们从山顶往山底拉了一根钢缆绳，将伐下的树木系在缆绳上滑下山去。粗大的圆木从半空中呼啸而过，气势自然壮观，却令在其下跌跌撞撞地行走的我们惊慌不已。一个多小时后，我们终于钻出了山林，抵达黄山区谭家桥镇，踏上一条有车辆呼啸着往来的公路。

那些飘荡着盐味的村落

土隘民丛谷不支，辟山垦堑苦何悲。

风雨夜行山坞道，秋不成丰犹餐草。

猛虎毒蛇日为伍，东方未明早辟户。

一岁茹米十近三，稗块杂粮苦作甘。

深山峻岭茅屋潜，竟年罕食浙海盐。

这是一首写于明朝初年的诗。此前虽然已有中原士族三次大规模迁徙来此，但此时的徽州依然是这首诗中写道的一副川谷崎岖、荆棘初开模样。公元 1575 年汪道昆从京城辞官返回故里歙县，途经新安江畔水陆码头屯溪，眼前"经秋夹岸芙蓉老，落日孤村薜荔深"。此后又一百年，从祖父那辈起就寓居扬州的盐商程庭遵父命返原籍歙县岑山渡省亲。无边的春光里，故乡沿途景观令这位游子既新奇

※ 古村一角——歙西潭渡境内

又欣喜："乡村如星列棋布，凡五里十里，遥望粉墙矗矗，鸳瓦鳞鳞，棹楔峥嵘，鸱吻耸拔，宛如城郭，殊足观也。"又过了150年，屯溪已经实现了从一个僻静的水陆码头向一个商业重镇的华丽转身："皖南巨镇首屯溪，万户居民本富庶，商贾辐辏阛阓繁，茶客年年竞来去。"清朝光绪年间一个叫戴启文的人这样描绘他那个时代的屯溪。

明朝以前那些"竟年罕食浙海盐"的徽州先民们，压根想不到自己的子孙会与海盐打上三四百年的交道，成为神州大地上食盐贸易不二的操纵者。尽管早在宋朝以降，徽州人逐步以商人的身份走进人们的视野，但以经营茶、木、漆等山林特产居多，在商界处于无足轻重的地位。明弘治年间，徽州人一举抓住盐法变革的契机，逐步击溃在盐业领域经营多年的山西商帮，确立盐业经营的霸主地位。民国时期许承尧主编的《歙县志》里有些洋洋自得地写道，康乾时期仅在扬州的歙县籍盐商，就有"江村之江，丰溪、澄塘之吴，潭渡之黄，岑山之程，稠墅、潜口之汪，傅溪之徐，郑村之郑，唐模之许，雄村之曹，上丰之宋，棠樾之鲍，蓝田之叶皆是也，彼时盐业集中淮扬，全国金融几可操纵。致富较易，故多以此起家"。

徽州作为朱熹的家乡，这里的人们自幼饱受理学的浸淫，把宗法伦理当作不可违拗的"天理"，把自己的升迁得失与整个家族的兴衰荣辱紧密联系在一起，无论命运如风吹浮萍般使自己漂流到何

※ 唐模水街

处，徽州永远是自己魂牵梦萦的"父母之邦"。他们抱着"宁发徽州，不发当地"的心态，"捐输故里"成为他们商业利润的重要流向。明清两代，"鱼盐所得"就像维持人体血液与细胞之间的渗透平衡与正常水盐代谢的盐一样，把那些峰峦掩映中的徽州村落滋养得根繁叶茂、神采飞扬。

盐使得徽州村落拥有丰富的精神内涵和强健的骨骼。行走在今天徽州的任何一座村落，祠堂总是其间最为引人关注的建筑物。它们有的近年刚经历过整修，在鳞鳞黑瓦的民居中气宇轩昂，但大多村落里的祠堂经不住岁月的凄风苦雨，眼前只有密布蛛网里那些半朽的梁柱，或是萋萋荒草里的断壁残垣，但依旧顽强地显示着当年的堂皇闳丽。在古徽州人眼里，祠堂是祖先灵魂的栖息之地，是维系血脉源远流长的精神殿堂，是一个家族兴旺发达的重要标志。明朝中期，徽州望族歙县西溪南吴姓在他们的族谱里开宗明义地阐明建造宗祠的重大意义："创建宗祠，上以祭祀祖宗，报本追远；下以联属亲疏，惇叙礼让。"修建家族祠堂"为吾门治祠事"成为一代代徽州人尤其是商人们毕生的宏愿。"举宗大事，莫最于祠，无祠则无宗，无宗则无祖，是尚得为大家

※ 徽州宗祠——歙南周氏宗祠内景

乎？"清初有个叫王中梅的人，幼时家贫，无力读书。稍长外出做
生意，日渐宽裕之后，亲属们劝他营造华宅以显富贵，中梅却认为
家族的祠堂还没有兴建，祖先的魂灵露宿在野外，这时候只顾自己
建造的住房，即便祖宗不责备，自己也会心怀愧疚、寝食难安的。"今
祠宇未兴，祖宗露处，而广营私第，纵祖宗不责我，独不愧于心乎？"
徽州祠堂大多规模宏大，耗资甚巨，往往独力难支，但因事关家族
荣耀，往往振臂一呼，应者如云，鸠工庀材，共襄盛举，呈坎村的
罗姓子弟，历经嘉靖、万历两朝，数代人筚路蓝缕建成的罗东舒先
生祠，500 年后的今天仍然如一个精神矍铄的老者，每日里矜持平

※ 徽州古村落老宅屋界——泰山石敢当

静地接受着来自世界各地的朝觐者们惊叹的目光。到了清朝末年，祠堂遍布徽州城乡，仅歙县棠樾村里，就有先达祠、慎余堂等 15 座之多，可谓"祠堂连云，远近相望"。

祠堂使得这里的人们心情宁静。祠堂后进的寝堂上，按照昭穆秩序供奉着列祖列宗们的牌位，岁岁安享着孝子贤孙们的供奉与祭拜。清明或是中元，祠堂里祭祀的香烟袅袅升腾，堂下跪拜着的子孙们似乎觉得那些早已逝去的祖先并没有在时空里渐行渐远，而是在正前方一如既往地用慈祥的目光注视着自己，使自己或因羞愧难当而痛改前非，或因欣慰坦然更加砥砺前行。祠堂的正堂上正在宣讲《圣谕六言》，这里是灌输伦理道德、弘扬家法族规的场所。徽州人固执地认为"大凡家法不立，则条事难成，义方不训，则子女罔淑"。因此，对"关于风化者"，诸如职业当勤，崇尚节俭，济贫救灾、抚孤恤寡、保护林木等，"分列条规宗，俾通族子孙有所持循，庶几祖宗之流风永存也"。那时的徽州人坚信，因为拥有祠堂，他们能够安稳地生活在一种秩序之中，心境平和，脚步坚定。

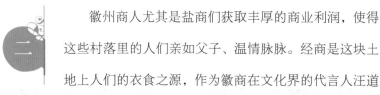

徽州商人尤其是盐商们获取丰厚的商业利润，使得这些村落里的人们亲如父子、温情脉脉。经商是这块土地上人们的衣食之源，作为徽商在文化界的代言人汪道昆对徽州人的经商行为这样诠释："贾为厚利，儒为名高"，"一弛一张，迭相为用。"意思是说，经商与业儒，只是人生不同的生存方式，本身并无高低之分，无须厚此薄彼。但事实上，在封建社会的主流意识里，经商为"四业之末"，是一种低贱行业。大多具有中原官宦缙绅基因的徽州人，被山多田少、地狭人稠的自然环境所逼踏上外出经商道路的那一刻起，内心一直处于纠结状态。一旦经商致囊丰箧盈，"读书入仕"的念头便整日在脑海里翻腾，而这在客观上已成为不能，于是他们广交文雅之士，竟日手不释卷，人称"儒商"则心中窃喜。更多的人把蟾宫折桂的那份念想托付给了后人，"子孙读书能成"成为商贾们最大的心愿。歙县雄村人曹堇饴是这方面的典型代表。清朝初年曹姓家族在扬州已业盐多年，曹堇饴在积累雄厚家产的同时，也饱尝了权力拥有者在金钱面前的故作矜持、为攫取而又极尽盘剥勒索手段背后的贪婪嘴脸，也深谙只有权力才能为家族带来真正的荣光。临终辗转病榻之时，将两个儿子翰屏、暎青唤至床边，嘱咐他们在家乡"竹溪之畔建书院"。曹姓兄弟不敢懈怠，历时十年，在雄村水口桃花坝右侧建成集讲堂和园林为一体的"竹山书院"。园林东面仅筑矮墙分隔内外，墙外青山逶迤，白鹭蹁跹，新安江上粼粼波光和古渡小舟，尽收眼底。书

※雄村竹山书院

院门前是遍植桃树和紫荆的桃花坝。一百多年前歙县名儒许承尧游历雄村，桃花坝上仍美不胜收："酣嬉不厌，一天之红雨模糊，旖旎多情，万顷之绛云缭绕。"曹姓家族还重金延聘沈德潜、袁枚、金榜等耆宿名家来书院讲学。绝佳风景陶冶学子性情，名师熏陶激发学子文思。曹姓子弟不负所望，从明朝成化到清朝同治三百年间高中进士者 54 人。曹姓俗例，中进士者可在书院清旷轩中植桂树一株。如今进士们的生平大多已湮灭不可考，而每年金秋时从清旷轩里飘出的桂花的甜香，使整个雄村沉浸在逝去的梦里久久不肯醒来。当然，修建书院是名门望族才能做到的事情，但小户人家对子弟教育也是孜孜追求，许多家族在族规中规定，对于家族中器宇不凡、资禀聪慧，却因家境贫寒无力从师的子弟，"当收而教之，或附之家塾，或助以膏火"；对于登科及第的，"建竖旗匾"予以褒扬。"一族之中，文教大兴，便是兴旺气象"。读书有成，改变的不仅是个人的命运，而是"党族之望，实祖宗之光"。在这种意识的推动下，古徽州"十户之村，不废诵读"，"群居讲学、究经看史、学者云集"，故而"俗益向文雅"，为徽州文化之花绚丽开放提供不竭的营养。

村落里的脉脉温情还体现在贫穷孤寡的体恤周济上。徽州山高水激，人们依山麓建起层层梯田，云蒸霞蔚，气象万千，但这些梯田层累而上十余级尚不足一亩。山高引水难，顺治年间编纂的《歙

※ 童年游戏"撤方块"（歙南瞻淇）

县志》里说："十日不雨，则仰天而呼；一骤雨过，山涨暴出，则粪壤之苗又荡然空矣。"恶劣的自然条件使得这里丰年甚少，正常年成收入不足口粮的十分之一。那些无力外出谋生者，冻馁之患在所难免。徽州人家的族规里这样要求族人："凡处宗族，当以义为重，盖枝派虽远，但根蒂相同。"因此，"贾有余财"和"禄有余资"者，对"族中茕苦者，计月给粟"，每月给予救济粮，"矜寡废疾者倍之"；对衣不蔽体者，"岁终给衣絮"；对身患疾病者，"施医药以治病人"，可谓亲密无间、相濡以沫。为使这些周济族人的义举能够"垂之久远"，做到常态化和长效化，徽州人纷纷仿效宋朝名臣范仲淹利用俸禄购买良田，以养济群族之人的做法，设立"义田"制度。嘉庆年间在扬州业盐的歙县棠樾村人鲍启运捐出平生积蓄，为鲍姓宗族设置义田1200亩，并独创"常平仓法"，以使族中的鳏寡独孤的救济更加周到细致，当朝吏部尚书朱珪、大学士刘墉、两江总督陈大文纷纷撰文予以褒扬，称"常平仓法"揆诸历史"绝无仅有，拟之古人，殆又过之"。村落里的脉脉温情，使千百年来徽州一直成为文人士大夫神往的世外桃源，"每逾一岭，进一溪，其中烟火万家，鸡犬相闻者，皆巨族大家所居也"。这里的人们，"千百年犹一日之亲，千百里犹一父之子"。

三　徽州商人们将丰厚的商业利润用在对家乡居住环境的整治上，使得徽州村落里的人们有着诗一般的栖居环境。

明朝"开国文臣之首"宋濂在为歙县新建的县学作记时，称歙县境内"紫阳、问政二山矗起东南，势力若翔凤；飞瀑、紫荆诸峰，又腾骛于后先"，这里群峰攒立，拥蔽周廻，山多涧谷，水贯其间，断岩绝壑，间出通道。猿声鸟啼，依约在耳。这样的环境虽不利耕作，但稍做"入奥疏源，就低凿水，搜土开其穴麓，培山以接房廊"等人工处理，便可尽拥"阶前自扫云，岭上谁锄月，千峦环翠，万壑流青"的自然之美。

※ 唐模水口

　　近年以建筑特色鲜明益发引起世人关注的徽州水口园林，因事关一个村落的地位和福祉，历来是村落里的人们着笔墨最多的响亮开篇。嘉庆初年的一个清明节，已在扬州担任两淮盐务总商多年的鲍志道返故里歙县棠樾村扫墓祭祖，看见绵密的春雨里那座远祖尚书鲍象贤建于明朝隆庆年间的万四公支祠破败不堪，不禁黯然神伤。他决定倾其所有，由赋闲在家的太学生、族弟鲍琮督建，在村前水口一带建祠堂，修社庙，竖牌坊，复古迹。棠樾鲍氏大兴土木之时，把正在徽州游历的号称"国朝第一"的书法家、篆刻家邓石如延为上宾，邓石如在棠樾盘桓数月，每日里挥动如椽之笔纵横恣肆，留下了大量的匾额、楹联、篆额，为村落增添了浓厚的文化气息。棠

※百岁家庭迎新春（徽城镇斗山街）

樾村西向 3 公里的唐模村，徽州望族之一许姓世居之地，村前水口檀干园是徽州水口园林中的典范之作。据说清朝初年村中盐商许某之母欲游西湖却困于交通不便，为供母娱老，许某便在村口仿西湖风景挖塘垒坝，建楼造亭，遍植檀花、紫荆，其间"有池亭花木之胜，并宋、明、清人书法石刻极精"。数百年来檀干园屡废屡修。如今在院内徜徉，风吹湖面涟漪阵阵，八角亭上铁马铮铮，眼前景致一如园内镜亭中镌刻着的楹联："喜桃露春浓，荷云夏净，桂风秋馥，梅雪冬妍，地僻历俱忘，四季且凭花事告；看紫霞西耸，飞布东横，天马南驰，灵金北倚，山深人不觉，全村同在画中居。"

在常年旅外的商人们眼里，家乡村前的溪流是生动的，它活泼泼地带走村落一日里或欣喜或悲伤的故事。村中巷弄是沉郁的，它与白云蓝天一起见证着村落的斗转星移。乾隆时期，客居扬州的"两淮八大总商"之首江春日渐老去，家乡歙北江村的景致却在昏花的老眼里一日日清晰起来，他向子孙们絮叨着村中八景：一曰洪相晓钟，每日晨曦微露，林扉初开，村外相山上禅钟传来，袅袅不绝。二曰王陵暮鼓，村后越国公汪华的陵墓旁宿有军营，暮鼓初挝，响彻空山。三曰松鸣樵歌。村北坞古松参天，苍翠欲滴，村民樵木其间，歌声应答。四曰绿溪渔唱。夕阳西下，村前绿溪之上有人驾舟撒网，桨声欸乃。五曰云朗岚光，六曰飞蓬月色，七曰白石晴云，八曰紫金雪霁……其实徽州大多村落都有这样的八景、十景，村落里的人们以诗歌的形式，将村里的人文景观和自然景观进行点染、生发，对家乡予以夸饰和颂扬。对于世居生息之地，这里的人们总有一种发自内心的惬意和满足："美哉居乎，乐斯地矣。"

"鱼盐所得"的滋润，使徽州村落五百年间芬芳四溢。1830年，时任两江总督的陶澍实行盐政改革，徽州人顿然失去盐业经营上的优势地位，稍后爆发的太平天国运动，使这块承平日久、从未遭受过劫掠的土地哀鸿遍野，村落处处断垣残壁。这些失去了盐的滋养的村落一度委顿苍老。经过一百多年的休养生息，尤其是进入新世纪以来，这里的人们逐步读懂村落曾经拥有的辉煌和在历史长河中的独特地位，学会理解并认同村落里厚重的历史文化，于是古旧的祠堂内新换了梁柱，疏浚后的水圳溪流日夜欢唱，水口林里新植的树苗枝干挺拔，依旧曲折有致的巷弄里旗幡飘扬。尽管农耕时代渐行渐远，但这里的人们仍然坚定地致力于村落的复苏和振兴，努力把它们打造成寄寓华夏子孙共同乡愁的精神家园。

雄村种桂

"十年一觉扬州梦"。但在两百年前的徽州商人眼里,扬州不是梦,他们就是扬州真正的主人。明清时期,政府把盐业垄断管理

※ 雄村远眺

机构两淮盐运史和两淮盐运御史设在扬州，扬州一时盐商麇集。盐商中尤以徽州人为多，经营的规模也以徽州人最为庞大。寓居扬州的徽州商人们"衣物屋宇，穷极华靡，饮食器具，备求工巧"，他们在穷奢极欲的同时，也慷慨解囊，在扬州城内"修坏道，葺废桥，治街肆，修马头"，把扬州城装扮成一个桃梅缤纷苑落棋布的繁华富庶之地。因此，近代人陈去病曾在《五石斋》里这样说："扬州之盛，实徽商开之，扬盖徽商殖民地也。"扬州城上空飘荡着的金银之气吸引了皇帝的目光，在康熙皇帝二次南巡扬州时，作为两淮八盐商之一的曹堇饴奉命"接驾"。赏玩了曹家琳琅满目的奇珍异

※歙南雄村竹山书院

宝，流连了曹家堂皇闳丽的亭台园榭之后，龙颜大悦，惊叹曰："富哉商乎，朕不及也！"

　　作为一个商人，曹堇饴无疑到达了荣光的巅峰。但从皇帝饱含艳羡的惊叹声里，曹堇饴还是听出了几分狐疑，几分不屑，几分拥权者的自矜，感受到了"操末等生业"的商人的悲哀，一股惆怅之气总郁郁在心。在他辗转病榻，自知将不久于人世之际，嘱咐两个儿子曹景廷、曹景宸的只有一件事："当在雄溪之畔建文阁、修书院。"雄溪是曹氏故里雄村村前缓缓流过的那条江，即新安江的上游，在徽州府歙县境内。

　　曹堇饴的临终愿望在徽州商人中是极具代表性的。明清时期，徽州人虽行商四海，称富宇内，但在程朱理学熏陶中长大的他们，有着强烈的"四民之业，惟士为上"的观念，经商只是在"毕事儒不效"，迫于家乡"地狭人稠，耕不足食"的自然条件而勉强操持起的生计，自从踏入商界那天起，心里总有一种挥遣不去的自卑。一旦业贾获利，生存之忧得以解除之后，"读书入仕"的欲望再次搅得他们寝食难安，而这在客观上已经成为不能，于是徽州商人们便把它当作人生唯一的终极目标，固执地移植到子孙们的脑海里……

曹氏故里雄村处于徽州盆地的边缘，是一个群山环抱的几百户人家的小山村。乾隆二十四年（1759 年）春季里的一天，由曹景廷、曹景宸兄弟捐资建造的"竹山书院"在乡亲们的恭贺声中，矗立在

※ 桃花坝——歙南雄村竹山书院门口

※文昌阁——歙南雄村竹山书院内

距扬州已有数千里之遥的雄村村口。因书院临江而建，为防止江水冲刷基脚，故耗巨资沿江岸修起了数里长的堤坝，形如城堞，坝上栽有十余个品种的桃花，桃花之中间种紫荆，竹山书院便坐落在花团锦簇之中。跨进书院大门，厅堂宽敞明亮，此处应为当年曹氏莘莘学子的诵读之地。厅堂接邻为清旷轩，回廊曲折。轩前为园，园侧有阁，叫"文昌阁"，阁为两层，各具八角，角均翘起，如鸟振翼。伫于阁前，近聆风铃叮当，远眺苍山叠翠，白鹭低飞，江水平平，野渡自横，不由人不感喟书院的建造者所煞费的苦心。

书院作为府、县学之外私立的教育机构，其经费须自行筹集。

曹氏祖先把办学当作涉及"党族之望，祖宗之光"的大事，一方面广延名师硕儒来书院任教，另一方面通过建立学田制度，捐助"膏火费"等形式，使族中器宇不凡、资禀聪慧但无力从师的子弟，也能安心在书院就学，同时还努力在书院之外，营造一种激励后辈刻苦攻读、奋发向上的氛围。

雄村有个传说，当地妇孺皆知。说村人曹振镛，其父为户部尚书。曹振镛在竹山书院就读时，顽劣异常，不肯用功。其姐十分着急，规劝他："你不读书，将来如何登堂入仕，承继父业？"曹振镛夸下海口："他日我定为官，且胜乃父。"姐姐激他："你若为官，我当出家千里之外为尼。"曹振镛从此潜心攻读，一举中榜，后官至军机大臣，权倾朝野。其姐为不食言，坚持要出家，曹振镛苦劝无效，又怕姐在千里之外孤苦伶仃，只得借当地俚语"隔河千里远"之意，在雄村对河建了一座慈光庵供其姐修行。如今慈光庵依旧在竹山书院对岸山腰一抹绿树修竹的掩映之中，但一个女人为了让其弟能读书入仕，竟然抛弃生命欢娱，甘愿苦守青灯黄卷，这个传说由于过于沉重而使人不愿相信。

距书院百米之遥的路边，矗立着两座牌坊，一座叫"四世一品"坊。村人曹文埴25岁考中传胪，后官至一品，其曾祖、祖父、父亲均被诰封一品。另一座为"光分列爵"坊，匾额里密密地镌刻着明清两朝雄村曹氏家族中中举者和显宦的姓名。不知这两座牌坊当年曾在从其身旁匆匆而过奔向书院的多少曹氏子弟幼小的心里，是否打上了深深的烙印？

与冰冷坚硬的牌坊相比，桂花厅的故事要生动得多，也更具诗意。桂花厅就是书院之内清旷轩前文昌阁之右的那个园子。相传书院落成之初，宗族便立下约定，大意是："凡曹氏子孙中举者，可在此植桂一株。"因为中举即意味着有了准官僚的身份，成了贵人，种桂是取"桂"与"贵"同音之意。于是在桂花厅内亲手种下一株桂花树，就成了书院学子们一个伸手可触的绮丽的梦。明清两朝，雄村这个至今仍不足两千人口的小山村，曾有中举者 52 人，其中状

※ 桂花厅——歙南雄村竹山书院内

元 1 人。而桂花厅里至今仍有碗口般粗的桂树 30 余棵。据说是因为桂花厅过小无法继续容纳的缘故。

中举者在祖宗们满意的目光默送下，在书院前新安江面上扬帆启航，跋涉万里直至京城，走上了中国封建统治者的舞台，成为徽州商人紧紧依附的政治势力，成为徽商鼎盛数百年的根源之一。当然，能够蟾宫折桂、游历魁台的只是少数，但古徽州的学风却因此而昌盛绵延，井邑乡野，远山深谷，凡有炊烟升腾之处，就有朗朗诵读之声。也使得徽州医学、徽州画派、徽派建筑、徽派雕刻等一朵朵徽州文化奇葩，能够植根于这块有着深厚文化底蕴的土壤，长开不败，馨香久远。

如今新安江的潋潋波光，依旧在竹山书院斑驳的墙体上闪烁不定。但书院之内，却已是人去楼空，当年名师学子济济一堂，名宦鸿儒迎来送往的场面，只记载在桂花树的年轮之中。每年九月近三十株桂花竞相开放，浓烈的甜香使雄村人久久地沉浸在梦一般的幻觉之中。而一年里的大多数时候，唯独文昌阁上悬挂着的风铃，在风中寂寞地铮铮作响。

烟雨深渡

　　深渡只宜烟雨中去看。烟雨中的小镇深渡是个很古典的徽州妇女的形象。鳞鳞鸳瓦之上，一棵老樟树的树冠荫庇了大半个小镇，树冠葳葳茂盛，层层叠叠，宛如那个妇女高耸的发髻。左边昌溪河

※（歙南）深渡码头

涟漪微微，右边新安江烟波渺渺，似那个妇女交拥于膝前的双臂，而对岸江峰云雾翕合，空幻朦胧，树影绰绰如长睫，其间似乎有双满贮着幽怨的眼在闪动，在诉说。

古徽州居万山之中，四周各有如屏的雄峰峻岭构成天然关隘，唯留一条新安江水浩浩荡荡，当作吸纳物质与文化的脐带。深渡作为水陆码头，作为古徽州几百里水路向着苏、杭、扬、宁等金粉之地的门户，是一个关于家乡的精神符号，深深烙刻在自宋、元以降，"足迹几遍禹内"，"其货无所不居"，在封建社会后期的经济发展史上，写下浓墨重彩一笔的徽州商人们的脑海里。而在今天烟雨中的深渡，仍可看得见当年背井离乡的徽州商人们渐行渐远的背影。

※《徽南》深渡老街

※20世纪60年代初至70年代末，新安江上的民兵在歙县深渡进行训练

古樟树下，雨脚在叶丛中沙沙作响，一旁斜支着的篷布下有小摊热气升腾，锅里煮着的水饺，当地人称之"包袱"，因为它像坐在桌前的那个商人斜背着的包袱。碗里的"包袱"玲珑剔透，还撒着些碧绿的葱花。商人却被那热气迷了眼睛，两行清泪扑簌簌地掉了下来。正踌躇伤感间，码头下响起船家喋喋的催促声。抓过手边的油伞，急急上了船，船舱里拥挤着箱箱茶叶、桶桶木漆。船之外，是正待顺江而下贾于苏杭城里某个官宦之家作亭台楼阁用的圆木编成的桴排。

古人有诗，以《深渡》为题，写的就是眼前这个情景：

客子溪头晚放船，缓摇双桨下长川。

一湾流水清见底，两岸乱峰高刺天。

……

诗里面有些文人矫饰出来的悠然，事实上顺新安江而下至富春江，再转钱塘江而抵杭州，其间水程足有五百里，且单新安江上就有险滩三百六，这一路行去的困厄险阻，以及风餐露宿的辛苦，堪与谁人说！

相比之下，民谣就显得更直接，也更形象：

"走到深渡，丢了家务；

到了杭州，万事一丢。"

……

生意场上风云莫测，需要商家费尽全部心血去经营，终日奔走在他乡的天空之下，关山阻绝，音信杳渺，对家中妻子老小再多的挂念也是枉然。

一叶白帆消失在江之尽头绰约的山影之外，夜雨淅沥的阁楼里有一个妇人流泪到天明。天色熹微，她毅然趔趄着小脚，荷锄山岗，插秧莳田，"红苋调灰种塝田，落苏扁荚竹篱边"，从此操持起商游的丈夫丢下的家务。入了夜，公婆房里的咳嗽声渐渐平息，身边稚儿的鼾声均匀响起之后，就着昏黄的油灯，纳着千层鞋底，把一颗活泼青春的心熬成一口青苔衍生的古井。年关渐近，眼看村里商游的人们陆续归来，家家点起团圆的红灯笼，而自家依旧冷风吹过庭院，再深的古井也都起了波澜，于是夜夜有梦，梦到深渡，坐在江边的礁石上，看千帆过尽，依旧不是，听凭斗转星移，月圆月缺，坐成一块徽州的望夫石。

民国《歙县志》里记有这样一个故事，说是某村有个人，娶了妻子刚三个月，就外出经商。妻子在家靠刺绣维持生计，每过一年，就用多余的钱买一颗珠子，把这珠叫作"泪珠"。当丈夫终于回到家的时候，村里人告诉他妻子已死了三年了，丈夫进了妻子的房间，物如旧而人已去，不禁黯然伤神，不小心碰翻了一个篮子，珠子滚落一地，丈夫边拾边点，一共有二十余颗。

文人以这件事为题材，写了一首诗：

……

几度抛针背人哭，一岁眼泪成一珠，

莫爱珠多眼易枯。

……

珠累累，天涯归未归？

一代代的徽州妇女用血和泪雕刻起来的贞节牌坊，至今仍在村前或路旁孤零零地沐着冷雨。今天的人们说它是程朱理学对徽州妇女摧残的见证，在哀徽州妇女不幸的同时，又怒其不争。这其实是苛求古人。如果徽州妇女不愿忍受闺房孤苦伶仃的寂寞，不愿忍受为历涉风浪的丈夫长期担惊受怕的痛苦，不愿承担独持家务、扶老携幼的劳累，不愿以坚贞为贾游四方的丈夫提供心理上的安全感，也就不会有称雄于明、清数百年的徽州商帮，不会有徽州的昌盛绵延，

※ 渔歌唱晚(歙南深渡)

不会有被称为中国地域文化中的一朵奇葩的徽州文化。

商人们来往辐辏使深渡成为一个"粉墙矗矗，鸳瓦鳞鳞、棹楔峥嵘，鸱吻耸拔，瓦肆数千间"的小镇。到了近代，徽商日渐式微，深渡渐趋清冷。但在抗日战争时期，苏、杭的一些店铺内迁至此，深渡一度"夕光返照"，到达繁华的巅峰。

20 世纪 50 年代末新安江下游筑起大坝，水位上抬，偌大的深渡只残存一条两里长的老街。今天仍有许多人步履匆匆地经过深渡，他们是上黄山去探奇松云海，或是下千岛湖去看潋滟波光的外地游客，他们的心情与深渡无关。

某年梅雨时节的一天，作为徽商后裔的我，手举一柄黑伞，徘徊在深渡码头之下的新安江边，端详着脚下江水翻露出来的断砖残瓦，倾听那个徽州妇人的诉说……

一棵树与一座村落的命运

　　树是银杏树，村名昌溪村。那树宛如一柄巨伞，舒张在昌溪村那一派粉壁黛瓦马头墙之上。树胸围八米余，高十来丈，据说已沐千年风雨。秋冬天里，那树清癯挺拔，仙风道骨；春夏时节，老树从不招虫惹蚁，只以匝地的浓阴和累累的甘果，佑护一代代作息出入于其下的昌溪村人。

　　村前有祠，敬奉"八老爷"圣像。八老爷是唐朝初年越国公汪华之八子，少时随父浴血沙场，护境安民，使得隋末天下

※（歙南）昌溪村口古树

※昌溪祠堂内保存的匾额

大乱之时，唯古徽州不见兵革。百姓感其忠烈，千余年来祭祀的香火不断。祠前广场，村人称"庙坦"，全用白色鹅卵石鱼鳞似的铺就，又用青色卵石嵌成松鹤梅鹿等图案祈望吉祥，一旁嵌有硕大的铜钱两枚，直言不讳地吐露着徽商故里的人们对金钱的热望。庙坦之前，老榆古樟交拥蔽天，其下青石护栏一列，白发翁妪，端坐喁喁，垂髫幼童，奔逐嬉戏。老树之外，不尽昌源河水悠悠潺潺；河之对岸，层层山影直与天幕相接。

据昌溪村人考证，"庙坦"一带，自古就是该村的经济文化中心。元末至正年间，村中吴姓先祖麒麟公，就在此"修汪公祠，镇塞水口"，又另建"花榭、荷池、楼阁"等公益设施，供村人优游休闲。在此后六百多年中，每个惠风和畅或冷雨淅沥的日子里，村中仕途

※ 徽南昌溪忠烈庙——纪念徽州地域神汪华第八子

知倦的官宦，归隐林泉的商贾，待仕的举人，农闲的耕夫们济济于此，品茗赏花，把酒赏月，吟诗作赋，臧否世事，把生命光华消融于清风明月，在从容恬淡中体味人生真谛。

显然，这一幅盛世村居图是要以饱蘸金钱的画笔才能绘就的。昌溪村局促于皖南丘陵一隅，鼎盛时曾"千灶万丁"，地狭人稠尚不足以自给。于是同古徽州的其他村落一样，明、清时期的昌溪人"行贾四方"，村中吴姓以营销茶叶为主，周姓贩卖土漆的脚印遍布津、京、苏、杭。昌溪"吴茶周漆"在"称雄宇内四百年"的古徽商帮中占有一席之地。

"昌溪三癞痢，做屋没地皮，打掉象鼻湾，河滩做一半"。这

※ 昌溪的宋代茶肆酒楼

首用昌溪方言念来方能合韵的童谣,讲的是清道光年间村人吴阿三的故事。吴阿三幼时可能头生瘌痢,也可能是顽劣不驯,乡亲叫他"三瘌痢"。十三四岁时,随族叔外出做生意,却无盘缠。邻里便东家三文、西家五文地凑些与他。这一去便是十余年,吴阿三遍尝人间苦辛,同时凭着自身的聪慧和坚韧,先做学徒,后当伙计、管事,最终独自经营店铺若干爿,成了大富。一日荣归故里,在街上鸣锣三日,请当年借钱与其的乡亲去结账,只需来人报出数目,定另加五倍利息双手奉上。但前来索债者寥寥。吴阿三感念这份亲情,役民工百余人,在村前一个叫象鼻湾的地方开掘石材,沿昌源河砌起高约两丈的护村堤坝三华里。并以堤坝为基脚,建豪宅巨构,重垣峻楼。

　　但是，吴阿三们并不能赢得昌溪所有人的尊重。古徽州的人们虽以善贾名著于世，但这里的空气里更为浓厚的是程朱理学的气味。在人们眼中，经商业贾仅仅是维生手段，读书仕进方是人生崇高境界。村人周茂洋，道光年间进士，授户部清吏司主事，统管钱粮，与一代诗人龚自珍交往甚密。31岁时病逝于京，时其子孚裕方周岁。茂洋妻高氏扶柩携子归昌溪故里后，侍老抚幼，殷勤备至。孚裕有其父之风，手披口吟，寒暑无间，后也高中进士，任直隶桃源州知州。今天，那块御准的"父子进士"的匾额依旧高悬在昌溪村一幢古旧但不失典雅的老屋的厅堂之上。屋主周续坤老人颇为自得地在匾额下撰写楹联一副："父进士道光朝中户部理财手，子进士咸丰年间直隶周青天。"

　　在吴阿三们的金钱和周茂洋父子们的文化的共同滋养下，昌溪村绿树修竹掩映，屋舍楼宇俨然，长幼路遇彬彬揖让，短巷之内诵读之声朗朗。又因地处偏僻，交通乏便，千百年来未遭兵燹之灾和盗匪滋扰，作为徽商著名故里之一的昌溪村，一如村中那根挺拔的银杏树，在历史的风雨中发散着一种典雅华贵的光泽。

　　到了20世纪60年代中后期，神州大地上旋起一股精神的沙尘暴。昌溪人从梦中醒来，猛然发现堂前长桌上那只被祖辈们摩挲得光洁

※ 昌溪周氏宗祠

如玉的花瓶竟是"四旧"，那满架被朱笔细细圈阅过的线装古籍全属"封建毒草"。为响应伟大领袖的号召，表白自己与旧世界决裂的决心，昌溪人架起长梯，铲去门楼梁柱上雕刻着的峨冠长袍人物的头颅，他们将古玩字画付之一炬，三天三夜不熄的火光映照着人们亢奋而又怅然若失的脸；珍藏了数代人的黑陶白瓷被砸得稀烂，碎片铺满了昌溪河五里的河床。当然，在这些激情澎湃的行动背后，也有人将祖传牌匾用作床板藏匿于被褥之下，有人将古旧字画悄悄塞进凿空的扫帚竹柄之中……

这场浩劫不仅仅造成昌溪村物质上的毁损，它更深重的危害在

于使得一代甚至数代昌溪人对传统文化的漠然和鄙弃。在此后的若
干年里，常见后花园里的奇石被垫作猪圈的基础，鎏金的屏风被劈
作煮饭的柴火，就连那座从功能上来讲是宗族精神的殿堂，从建筑
上来看气势恢宏、美轮美奂的吴氏宗祠，也被用作生产队制茶的厂房。
昌溪村人稍有积蓄，便开始大兴土木，方正笨拙的小洋楼破坏了马
头墙疏密有致的韵律，铝合金蓝玻璃繁杂的光线扰乱了天井里亘古
以来的那份幽雅和宁静。

　　公元 1981 年一个冬天的午后，昌溪村人听到一种奇怪的声响，
初如一个老妇在泣诉，后渐响亮，如一个老翁在咆哮、数落。村民
们拥出门外，只见那根千年银杏树的上方翻滚着浓烟。原来银杏树
的树心已经朽烂，树底形成一个偌大的洞，那日几个孩童在树洞里
燃火游戏，引得整个树心燃烧起来。昌溪村里在顷刻间乱作一团，
人们争先往屋外抢搬物什。因为房屋鳞次栉比地拥在老树之下，若
此刻老树哪怕掉下一根树枝，对昌溪村都是一场惨重的灾难。而闻
讯赶来的消防车因无法靠近而束手无策。老树十几个树窍一起往外
喷着烈焰，寒风呜呜作响，昌溪村阵阵颤栗，几位上了年纪的老人
不由自主地面对着在烈火中挣扎的老树跪下了双膝。大火一直持续
到次日凌晨，随着"轰"的一声巨响，被折断的树冠沿树干笔直下
降后深深地插在一旁的泥土里，没有伤及旁边的一椽一瓦。在消防

队员与村民们的奋力扑救下，老树勉强保住了二十多米高的残躯。

　　或许正是被老树这一把烈火惊醒，昌溪村人开始检讨自己对待自然、对待传统文化的态度。20世纪90年代，村中几位退休教师自发组织成立"古村落保护委员会"，他们从村民家中征集古旧字画，在村中举办"昌溪村古代书画展""近代书画展"，宋徽宗、唐伯虎与八大山人，黄宾虹、徐悲鸿和张大千们被同时悬挂在农家的厅堂之上，品位之高令行家颔首侧目；后又举办昌溪村"科举、祭拜文化展"，考灯、考箱、祭篮等古人用物精美考究，年轻些的昌溪人都口折心服。于是与昌溪村相关的被淡忘半个世纪的记忆被纷纷唤醒，外地人都知道昌溪村至今完好地保存着国内唯一的一座

※昌溪古村落里全国唯一存世的木牌坊

木牌坊。吴氏宗祠是徽派建筑的典范之作，村中的一长街一短巷，一石桥一庭院都玄机暗藏、匠心独运。"古村落保护委员会"益发得到政府相关部门领导的首肯和村民们的拥戴，他们四处募集资金，整修了村中"忠烈祠""吴氏宗祠"等一批古旧建筑。他们相信，通过对村落古文化的挖掘与弘扬，能够增进村民们对祖辈们创造的文化的认同，进而激发村民们重振辉煌的信心。

　　老树遭劫数年之后，竟奇迹般地萌发出新芽。如今老树早已是绿叶婆娑，葱茏挺拔了。若非知情人指点，已很难发现老树曾经遭受劫难的痕迹。

夕阳斜晖中的许村

　　许村作为歙县的古村落之一，它的形成应该是 1500 年以前的事了。当时有个叫任昉的人，正做着新安郡的太守，被许村这一方清淑的山水迷恋住了，动了"种菊东篱"之念，便辞官归隐到这里，

※ 歙北许村岁月

他与村夫们一起躬耕田畴，并致力在村里推广一种叫桃花米的耐旱早熟的水稻。农闲之余，携一根渔竿到村头溪边，在平心静气的垂钓中，听凭时光如风从身旁匆匆而过。后人为纪念这位归隐的太守，取此村名为"昉溪"。村头溪边有礁石可坐可卧，人道是"任公垂钓处"。

此后又过了 400 年，到了历史上政权接连更替，战火乍熄又燃的五代十国时期。南唐的户部尚书许儒，为了替子孙找一个安身立命之所，别了哀鸿遍野的中原河南许州，携家眷渡过茫茫长江，翻过万千沟壑，一路仆仆风尘。当许儒站在黄山南麓箬岭关的关口时，不禁长舒了一口气。放眼望去，低矮的青山环绕着千顷良田，婆娑丛林掩映着屋舍人家，更有一条清溪弯似玉带绕村而过，许儒欣喜不已，便在这里结舍为家。数年之后，随着许姓的壮大，便改村名"昉溪"为许村。

同此前此后陆续有大族从中原迁来徽州一样，许姓的到来使许村人的风俗益趋文雅。而宁静如世外桃源的许村也给了许姓充分的发展空间。到了明朝中叶，迫于"地狭人稠"的压力，受到经商业贾习俗的影响，许氏子弟纷纷汇入徽州商人的行列。徽商以盐、典、茶、木为主要经营行业，以长江中下游为主要活动区域，称雄商界数百年之久。暴富以后的许姓商人把故里当作告老还乡颐养天年的乐土，作为乡党之间、宗族之间相互攀比、争阔斗富的场所，纷纷"盛馆舍广延宾客，扩祠宇敬宗睦族，立牌坊传世显荣"，把许村变成一个号称十里长街的富庶小镇。有一位许氏后裔在宗谱的《序言》中很自豪地写道："徽属六邑，而称富庶，歙为最。歙之名乡虑数十，防溪为最。防溪在城（歙县城）北四十里，平畴沃壤不啻数千亩，四山环合如城，第宅鳞次栉比。皆右族许氏之居焉。其人物衣冠甲于他族。"

在 21 世纪的今天，一踏进许村，还是能够强烈地感受到它曾经有过的辉煌。村口一座高阳廊桥，是亭与桥的完美结合。远远望去，山墙错落，脊线纵横，宛如亭阁。走近了看，它的下部却是一座石桥，

※ 许村廊桥

两个石拱倒映在水中如两轮满月。桥上沿墙置长凳，有翁妪闲坐话语依依。南墙本设有供来往旅人祷祝平安的佛龛，如今佛已西去唯有佛座落满尘灰。圆窗之外潺潺流水，两侧有白墙黑瓦逶迤而去，几位村姑蹲坐溪边槌衣浣洗。不知这座始建于元末，重修于清初的廊桥曾为多少过往行人遮蔽了风雨，复苏了身心？

　　廊桥之外，是一亭阁。亭分三层，一、二层各有八个飞翘檐角，当地人称"八角亭"。瓦楞间虽已清苔厚积，但掩不住整座亭的秀颀华丽。亭之二楼，当年为许村儒雅之士聚会的场所。遥想若干前的丽日佳辰，村中休假的官宦、省亲的商贾、待仕的举人齐聚一堂，或觞或咏，或棋或书。远眺天都、莲花诸峰在洁白云絮之上，如海市蜃楼；近俯贩夫走卒穿亭而过，来往熙攘。……待从酣然酒意中醒来时，一轮圆月之外是纤尘不染的天幕，高低错落的屋宇静沐在银白色

※ 许村八角亭

的光芒之中，鸡犬不惊，四周寂然，便使人有"今夕何年"的感慨。今天来往行人仍从亭下过，但亭之二楼以及与它有关的故事，却被一把铁锁固执地锁住。

与廊桥、八角亭相毗邻，是两座建于明代的牌坊，讲述的是村里一对被称为"人瑞"的百岁夫妇所承受的恩荣，以及曾当过汀州知府的村人许伯升的故事。因为经受了太多的风雨，牌坊匾额上的雕绘已风化剥蚀，斑驳难辨，使人顿生几分岁月流逝的感伤和一种辉煌凋敝的惆怅。行走在许村的街巷之中，这种感觉便愈发强烈。粉墙依旧高矗，门楼门罩上的砖雕石刻依旧渲染着富足，但大门之内的深宅庭院，大多已被改建得难辨当年模样。天井之下明亮的厅堂，作为当年主人迎客会宾之所，应该是四壁挂满楹联书画，茶几方桌纤尘不染，如今却是胡乱地堆放着谷柜竹筐、锄头犁铧。楼上天井四周雕花缀朵的栏板因年久失修，岌岌可危，唯见几只紫燕翩飞来往，安然于其下衔泥筑巢。村之中间，常见大顷空地，从残存的扎实平稳的基础来看，其上曾经有过闳丽堂皇的建筑，而今却做了青菜满垄的菜园。满架繁花的豆角架之外，一棵遒劲的罗汉松，几截露于草丛的太湖石，这里就是那个怀春的小姐独自徘徊的后花园了，如今半堵断墙之侧，寂寞美人蕉半开半落。

关于许村的衰落，当地人以这样一则传说做出解释。太平天国

※ 许村五马坊

时期，洪秀全的部将领兵翻过箬岭关，前往攻打徽州府，许村人怕兵勇进村骚扰，就箪食壶浆在村口迎候这支过往的部队，并犒劳每位军士草鞋一双、肉粽两只。太平军对这个宛如城郭的富庶小镇本身存有几分不快，后因久攻徽州府不下，益发认为是许村人与清军相勾结，乘发草鞋、肉粽之机清点了太平军的兵力，泄露了军机。于是迁怒于许村人，趁撤退再次路经许村之际，放了一把火，将许村烧了三天三夜。

可以给这一传说提供佐证的是，新中国成立后编修的《歙县志》中载："同治二年（1863年）八月，太平军古隆贤部被刘典堵于许村，受刘典和唐义训前后夹击，败走绩溪。"由此看来，太平天国的兵燹，无疑是许村迅速衰落的直接原因。太平天国战争时期，古徽州却成了太平军与清军打"拉锯钱"的战场，城池交替易手，许多村庄被劫掠一空，焚烧殆尽，许氏为避战祸不远千里地寻找，并花了十几个世纪苦心经营起来的家园，终究还是未能逃脱战争带来的厄远。

导致像许村一样的许多徽州古村落衰落的深层次的原因，是徽州商帮的衰落。太平军与清军的主战场，是长江中下游流域，而这恰恰是徽商的主要活动区域。两军在长江水域长时间的军事对峙和相互攻击，战舰横江，兵戈载道，造成关河阻塞，水陆不通，使徽州商人无法进行经营活动长十余年。清政府为运转战争这部庞大的机器，不断要求商人捐输助饷，向商人征收各种苛捐杂税。清政府实行盐法改革，使以业盐为主的徽州商人丧失了经营盐业的垄断地位，清光绪年间，印度、斯里兰卡等国大面积引种茶叶成功，使靠种茶、卖茶起家的徽州商人失去了最后一块领地。天灾人祸接踵而至，称雄商界三百年的徽州商帮终于一蹶不振，走向消亡。没有了徽州商人源源不断地创造财富，徽州的繁华就像一朵失去土壤和水分的花，凋谢是近在咫尺的事。

撇开战争的正义性与非正义性，任何一场战争，带给百姓的都是一场惨重的灾难。经过 100 多年的休养生息，尤其是进入 20 世纪 80 年代以来，在改革春风的拂荡之下，许村正一日日地从废墟中崛起，但仍未能挣脱它所笼罩着的败落的氛围。残阳夕晖中的许村，絮絮叨叨地叙说着战争对人类的戕害……

行走北岸看祠堂

　　古代的人走进徽州的某座村落，一般都要站在远处看那村的祠堂。祠堂是这座村落里宗族经济文化繁荣的象征，看过了祠堂，这个村有多重的分量，心底也就清楚了。

　　※ 歙南北岸风雨廊桥

现代的人到了徽州的某座村落，最好也能到那座村落的祠堂里去看看，一则可以体味一下至今仍在当地人脑海中留着深刻烙印的宗族文化，再则可以领略精美绝伦的徽派建筑艺术。

北岸村的吴氏宗祠是国家级重点文物保护单位。

出歙县城南门，沿徽杭公路前行十余公里，便可看见粉墙高低错落的北岸村了。踏上那蜿蜒向村落而去的石板小路，两边竹篱笆上瓜藤蔓绕，黄花粲然。过一断残拱门，迎面一座三十多米长石拱桥，桥上建廊，故称"廊桥"。桥上供有佛龛，几炷香火清烟依旧袅袅，祷祝的人似刚离去。从廊桥葫芦形状的风窗向外望去，几只白鸭在粼粼的河面上戏水，妇人们在埠头旁捶衣浣洗。

穿过廊桥，在逼仄的小巷里行不多远，见一开阔的平坦。坦之内侧，有一宏大的建筑物，正面墙体呈八字形状，两边檐角飞翘，瓦缝间虽已有萋萋野草，但掩不去它堂皇闳丽的气势。迎面墙体上装饰着奇华异卉、八仙宝器图样的砖雕木刻，风雨

※ 廊桥小憩

※ 北岸吴姓宗族的精神殿堂——吴氏宗祠

剥蚀，人为损毁，仍呈现着令人叹为观止的精致与华美。这就是北岸村的吴氏宗祠。

《扬州画舫录》载："徽州吴姓者，以居丰南、北岸、长林桥为著。"作为古徽州的望族之一，北岸吴姓人才辈出，于仕于贾都有卓尔不凡者。而自明朝中期以后，在徽州人心目中，"举宗大事，莫最于祠，无祠则无宗，无宗则无祖"。"崇本枝，萃涣散，莫大于建祠"。建造祠堂，是件关系到宗族的声誉和兴衰的大事。

同古徽州的绝大多数祠堂一样，吴氏宗祠的结构上也分为门厅、享堂与寝殿三进。进大门，穿过厚实的木门，两旁是精刻细镂着各

※ 歙南北岸吴氏宗祠天井栏杆石刻

种花卉的槛子门隔成的厢房，当年是作筹备祭礼仪式，预备各式供品之用。沿天井中间的石板过道复往前行，迎面又是一天井，两旁是平而宽的石阶。拾阶而上，是能容纳数人的享堂。吴氏宗祠的享堂名为"叙伦堂"。堂上两排十余根屋柱每根均须两人方能合抱，其上梁架勾连迂回，气势端庄。阳光从天井两旁的高墙之外折射而来，偌大的享堂显得幽暗而森然。享堂之后，石阶天井之上，是安息北岸吴姓列祖列宗们魂灵的寝殿，写有祖宗字号的牌位依照昭穆秩序层层排列，仿佛在遥远的天国，吴姓先祖们依然遵从着生前严格的等级辈分。

　　每年腊月冬至，是北岸村吴姓祭祀之日。北岸东边山外的天空刚刚放亮，村中吴姓男女老少在锣声的招引下，齐聚在宗祠前的广场上。广场前十六根三丈高的旗杆上，各色旗幡在冷风中猎猎作响。吉时一到，鼓乐齐鸣，打开祠堂大门，族众们在族长的引领下，秩序井然地行至享堂。钟、磬各击三响之后，主祭宣布祭祀开始。其后依次是歃毛血，降神，参神鞠躬拜，读祝，化财，望燎……程序十分繁缛，但进行得一丝不苟。其时，猪、羊、鸡、鱼、馔、帛等祭仪一字排列在祖宗的牌位之前，焚烧香烛锡箔纸钱的烟火在祠堂里弥漫缭绕。在一次次的鞠躬跪拜中，吴氏子孙们感受到了眼前祖宗的恩泽和身旁同宗的亲切。祭礼结束，祠堂大门重新阖上之后，当晚村中灯火明亮，全族老少齐聚一堂，共同分享祖先们已经享用过的祭品。在同饮共餐的朗朗笑语中，富与穷、贵与贫的隔阂消失了，恩怨情仇化解了，剩下的只是同族同宗的血缘亲情。"尊其尊而长其同，老吾老而幼吾幼，亲亲之义，循循有序"的思想意识再次如春风化雨般滋润了吴氏子子孙孙的心田。

　　除了冬至祭祀之外，吴氏宗祠的大门再次开启之日，则是族中发生或即将发生大事之时。享堂之上有八把又高又大的木椅，是族长和执事们议决村中事务时的座位。若族中的孤寡鳏独需要赈济，亭榭路桥、公用水利设施需要修缮，吴姓子弟学费考资需要捐助等

※ 20世纪50年代末,歙南北岸生产队民兵边劳动边训练场景

事项,均需在祠堂里商定并付诸实施。而一旦族中子弟有"作奸犯科、败先人之成业,辱父母之家声"的行为,则被"众执于祠"。那高大木椅上端坐着的八位俨然是神色冷峻的执法官,不仅可以对跪在身前的不肖子孙"切责之,痛笞之",甚至可以施以逐出族门等处罚。

撇开祠堂所承载的社会功能,从建筑学的角度看,任何一座徽州祠堂,都是徽派艺术之集大成者。北岸吴氏宗祠因建于徽派建筑文化已达到辉煌之晚清,更以其华美而声名远播。吴氏宗祠中的两幅石雕作品,堪称徽派艺术的典范之作。其中一幅位于中进天井井池之上堂前护栏的栏板上，六块相连的栏板镌刻着西湖风景的长卷，黟青色的石板上有三秋桂子、十里荷花、荷笠的钓叟、打伞的玉人，至于苏堤春晓、柳浪闻莺、三潭印月等"西湖十景"，都可以在那幅长卷中一一找到。另一幅是在后进寝殿之前，依旧是刻在护栏间的栏板上。七块相连的栏板刻绘着远山烟云浮动，雾霭迷蒙。近处苍松遒劲，怪石峥嵘，有鹿或三五成群卧草观云，或自顾觅食清澈溪畔的情景。野鹿有的可窥飞腾的全貌，有的却半隐于树丛之后。据称图中共有野鹿一百只，"鹿"与"禄"同音，看来安息于此的吴氏祖先们期望着他们子孙中能多出几个食皇家俸禄的显贵高官。

作为国家级文物保护单位，北岸吴氏宗祠或许是幸运的。随着农耕时代渐行渐远，大多数徽州古村落里的祠堂已风雨飘摇，即将从人们的视野里消失，与其一同消失的，或许还有千百年维系并推动着宗族发展的共同信仰和善良习俗，血浓于水的人间亲情，以及炉火纯青如行云流水的徽州建筑技艺。每念及此，不免让人一声叹息。

888 岁的敦仁里

提起歙县盛产柑橘的地方，人们大多会想起南乡新安江两岸的街口、新溪口等乡镇，那里一江碧水，万点波光，山岚江雾，瀚漫着两岸山腰间稀稀落落的粉墙黛瓦。天高云淡的秋日，房前屋后橘

※ 歙北富墈的春天

园里拥满枝头的橘子映红了半江秋水。这些橘子在某个清晨会齐聚在歙县县城那条主街道的两侧，使本已车水马龙的街道显得更加拥挤，也使古城那张被渐起的秋风吹得有些阴冷的脸盈盈有些喜气。在它们中间，有几只盛满橘子的竹筐子上赫然写着"歙北仁里"的字样，虽显得有些形单影只却丝毫不露怯意。有些歙县人也觉得好奇，走近了问："北乡也产橘子么？"卖橘的汉子便剥开橘子让你尝，橘皮一样的红亮光鲜，橘味却更觉甜酸适口。那汉子还自豪地告诉你，敦仁里不单盛产"大红袍"橘子，还产梨子、桃子、青梅和菊花，人称"五彩敦仁里，四季花果山"便是他的家乡。

出歙县古城北门，溯富资河而上，一侧流水潺湲，近岸处老树清荣峻茂，另一侧或是沃野平阔，阡陌纵横，阳光下弓着身子的农家的背影，或是老屋新房鳞次栉比，绵亘的厂房上有青烟在若有若无地飘。农业和工业竞相发展，使富堨这个自古就以物产丰饶闻名歙北的古镇益发器宇轩昂。过了富堨，骤然是另外一番气象，天空显得狭长益发澄明透亮，河流渐呈逼仄却更加清澈可人。沿右手一条新修的公路，向远方淡蓝色山影处蜿蜒而去，翻过几座松林茂密的山丘，有浩浩长风迎面拂来，眼前又是豁然开阔的田野和炊烟人家。在低沉的蛙鸣和悠长的鸟啼的交织声中穿行十余里，有群山如屏，那山无雄浑之姿，不呈峭拔之态，山脊的线条温柔起伏，几百户人家星星洒落在山腰葱茏树木的掩映之中。路边牵牛人遥指："那就是敦仁里。"

据前些年敦仁里人编写的《敦仁里志》中记载，宋宣和四年（1122年），举事的方腊义军与前来征剿的官兵在歙县一带展开激战，兵燹过处，生灵涂炭。原先居住在敦仁里前不远项村一个叫郑十一的人，为避战祸，举家迁入东门岭一带的群山之中，结庐为舍，垦荒种粮，在当时还没有敦仁里称谓的那一片青山之上飘升起第一缕炊烟。约300年后，歙县城关人程窥来到东门岭一带伐薪烧炭维持生计，见这里植被丰茂，山水青淑，遂有久居之念。郑、程二姓世代在这一

※ 山村晨曲——歙北秋天

方天地间繁衍生息，一代一代的敦仁里人劈山凿路，砌石围田，使梅花、梨花每年春天如约盛开在房前屋后；他们建渠修坝，挖井掘池，从山那边引来的溪水围着山村日夜欢唱；他们建宗祠，修庙宇，制定族规家法，追怀祖先功德，宣扬伦理纲常，祈求物阜丁盛；他们设蒙馆，建学校，延师课子，薪火传承人类文明，期冀光耀家族门楣。相比于"聚族而居，不杂他姓"的其他古徽州村落，敦仁里数百年来郑、程两姓同村共居，后又有朱、刘、洪、江等姓迁入，虽各自建有宗祠，但村中诸姓相濡以沫，齐心协力营建家园，这就使敦仁里这个村名的由来有了更多令人遐想的空间。徽州的著名人物、清末歙县翰林许承尧曾有敦仁里之行，村中郑姓请为宗祠"怀德堂"撰写楹联，许承尧欣然命笔："里号敦仁当仁不让，堂名怀德惟德是依。"

黄昏里一群人举着旗幡在零碎的鞭炮声中缓缓走上敦仁里村后的山梁，在村人眼里，他们的亲人并未逝去，而是从此在山梁上默默地将他们守望；清晨一声清亮的啼哭使山村幸福地一颤，握着邻居送上门来的温热的红鸡蛋，感受到生命延续的温馨。春种秋收，斗转星移。也有少年挥别家乡踏上渺不可知的前程，从此或沉浮商海，或进退仕途，其中不乏卓有建树者，如曾经富甲一方、泽荫故里、民国时期徽杭公路建设的发起人之一程君瑞等，至今仍是敦仁里人引以为自豪的家乡先贤。

现仍供职于市里某部门
的老郑也是一介少年时走出
了家乡敦仁里，辗转求学后
忝列公门，故乡虽常回但总
是往返匆匆；光阴倏忽，案
牍劳形，双鬓不觉间白霜凝
结。年事渐高桑梓之情益发
浓烈，对敦仁里村的公益事
务益发关注和热衷，想为家

※ 歙北晒秋

乡的发展尽份力量的心情益发迫切。老郑在多次返乡与村中的长者、
村"两委"和乡镇干部协商、酝酿，并经过一番紧锣密鼓的运作之后，
"纪念敦仁里村开村 888 周年系列庆典活动"便呼之欲出。

公元 2010 年，距那个叫郑十一的人走进敦仁里这一丛青山垦荒
种粮已整整 888 周年。这一年的 3 月 28 日，清明临近，慎终追远，
敦仁里人家房前屋后杨柳初绿，桃李半凋，油菜花事正浓。太阳从
敦仁里东边的山梁上升起来，村中的大红横幅挂起来，村口的锣鼓
敲起来。原籍敦仁里和四周村子的人们早早就走在前往敦仁里的路
上，他们要与敦仁里人一同见证这个盛大的日子；市、县、乡领导

走下车来鱼贯而入一个个红光满面笑容可掬，迎候在村口的村姑们在他们胸前别上几朵映山红作为"嘉宾"标志；老郑特意邀请市摄影家协会的会员前来采风创作，四十多位摄影家一进村就对着房屋人群"咔嚓、咔嚓"照个不停，回望着"长枪短炮"村民们觉得新奇又有几分的不安；胸前同样别着几朵映山红的老郑在人群中前后张罗显得格外忙碌。庆典的会场设在村中央小学的操场上。一直播放着欢快音乐的喇叭声停歇后，有领导登台宣布纪念敦仁里村开村888周年系列庆典活动开始，嘉宾们先后讲话，大意是希望敦仁里发挥好生态优良、物产丰富、风景如画的独特优势开展山村旅游活动，不断拓宽增收致富的新路子，加快社会主义新农村建设的步伐。缤纷的纸花在半空炸响后洒落下来，市摄影家协会领导给村长授"全市百佳摄影点"的铜牌。接下来是 "迎世博"有奖竞猜。琴弦之声响起，村民们踊跃登台演唱自己拿手的京剧或是黄梅调，虽难免不合调合韵但个个精神气十足，台下欢笑声一浪高过一浪，摄影家们则不失时机地抓怕村民们爽朗的笑，或是三五结伴前往寂静的村巷里拍伸出矮墙的桃花、晾晒在竹竿上的一列火腿、宗祠"德善堂"改建成的"老年活动中心"里书籍码放整齐的书架、村务公开栏中张贴着的"向服侍瘫痪母亲几十年如一日的村民程光皆学习"的通知。

庆典活动在午饭时间临近时结束，嘉宾和摄影家们被请进了原

※ 皖北吉祥灯笼柿

先生产队仓库改建的"农家乐"饭店。店里的桌凳碗筷是从各家借来不免显得杂乱老旧,但端上桌来的菜肴扑鼻的香味很快令人食欲大振。村中一矍铄老者穿梭于各桌之间忙不迭地向大家介绍此为东门岭雪梨汤,用敦仁里的雪梨加冰糖秘制而成,有养颜益寿、润肺止咳之功效;此为杨树坑山鸡,是敦仁里最高峰杨树坑上的山鸡人工驯化养殖,风味自然独特;野蕨、马兰、长生菜,样样采自山野,绝对绿色无污染,并称村中多为长寿康健者,除淡泊名利、勤于劳作之外,更多是因常食这些山野菜肴。于是嘉宾们一扫矜持,频频举杯敬酒;摄影家们把一盘盘菜肴当作艺术珍品,在举箸大快朵颐之前不忘啧啧赞叹着用相机拍照一番;往各桌上端菜的村姑们见这阵势不由自主地停下脚步,脸上写满敦仁里人特有的笑。

那笑浅浅的却又是撼人心魄的,充满自信和舒心,还有着窗外沉浸在三月里的敦仁里村一样的阳光和纯净。

九代荣华大阜潘

　　百年前凡从大阜路过的人，无不被这座千年古村透露着的雍容华贵的气质所震慑。

　　其实无论走哪条路去大阜，不到它的跟前，人们断难想象此处

竟有这样一个宛如城郭的村落。大阜村前村后,均为良田平畴,阡陌交错,白鹭翩翩,却难见炊烟人家。远见两山相峙,左山高处,腰际间有云絮缭绕。右山低处,丘陵上老栗古松荫翳遮日。两山间幽谷窈然,隐隐有楼台屋宇。往那村的方向行去,脚下不知何时已是一条石板路。那青石板长约三尺,宽为尺余,块块相连,光洁平整。青石板铺路,晴不扬尘,雨不积水。经过亭阁飞檐翘角,榆樟树冠交拥的水口,有条宽约丈余的溪水哗啦啦地向村落奔流而去。进得村来,但见幢幢面街毗邻而建的房屋粉墙高矗,堂皇壮丽的门楼下朱门洞开,其内厅堂敞亮,陈设雅致;或为廊墙一列,透过漏窗花格,见芭蕉浓绿,石榴艳红。那街渐行渐深,似无穷尽。街道豁然开阔处,见一宏大的建筑,门楼为四列五层,檐角飞翘,高大轩昂。门额之上,悬挂着两块巨匾。门前一列排开八个旗墩,数丈高的旗杆之上,各色旗幡迎飞飘扬。旗墩之外,有雕花石栏围着一亩多的池塘,满满白的红的荷花争姿斗艳,益发烘托出那幢楼房的堂皇庄严与美轮美奂。那便是祖居于此的潘姓子孙为缅怀祖宗功德,维护宗族秩序而建的潘氏宗祠了。

　　大阜村的潘氏宗祠,始建于明朝万历年间,因毁于太平军的战火,清同治十三年(1874 年)由村中潘姓子弟捐资重修。百年前潘氏宗祠的大门从不轻易开启,过路的人只能肃立在大门前瞻仰它的

※ 徽南祠堂里的乡村学堂

风采。中华人民共和国成立后,潘氏宗祠一度被用作村中小学的校园,后又被列为省级文物保护单位。享堂、寝殿中的用材宏大自不必说,单在那享堂上方相互勾连迂回的梁架上雀替、平盘等处,就雕有骏马一百匹,其或扬鬃驰骋,或啸吟林泉,形象无一雷同,即为徽州木雕之一绝。而潘氏宗祠卓然不同于其他族姓宗祠的特色在于,享堂后殿之前的天井里,植有一株桂花树,树冠几与屋瓦同高。虽历百年风雨沧桑,但每个秋天,那树仍使潘氏宗祠久久地沉浸在一股浓郁的芳香之中……

大阜潘姓在祠堂里种桂,取“桂”（贵）谐音,意在企望潘姓子孙能够飞黄腾达,光耀门楣。据大阜村人收藏的编修于清朝同治

※ 歙南大阜潘氏宗祠天井里"富贵荣华"吉祥桂花树

年间的《潘氏宗谱》中称，新安之有潘，自唐刺史名公始耳。唐朝光启年间，有个叫潘名的人，从闽中来任歙州刺史。任期将满时，黄巢的起义军攻陷歙州。幸而潘刺史为政清廉，歙之黎民不仅没为难他，还挽留他让他避居在歙西之篁墩。潘姓在篁墩附近生活了近百年，一日有个叫潘细六的路经大阜，见良田平阔，山峰峙立，幽谷深藏，又见有白色喜鹊衔枝筑巢，便认为那是神灵的指引，遂率全家老小"卜筑于是"。大阜果然成了潘姓的"发祥之基"，子孙中"闻有彦士达官宦不可为量数"。

潘姓迁居大阜以后，古徽州掀起了外出经商的热潮。"徽俗十三在邑，十七在天下"，大阜潘姓概莫能外。他们以苏、浙、沪为商贾之地，以漆、茶、酱坊为主要经营行业。虽然经商为潘姓带来滚滚财富，使大阜成为一个远近闻名的富庶村落，但可能是属于官宦之后的缘故，潘姓在商场大多籍籍无名，而"读书仕进"的愿望在无衣食之忧的潘姓子弟身上体现得尤为强烈。故大阜潘姓世代不乏达官显宦，尤以潘世恩、潘祖荫祖孙最为著名。

潘世恩，字槐堂，号芝轩，1769 年出生。虽生于商人家庭，但少时他只专注于研读圣贤之书，并在乾隆五十八年（1793 年）考中状元。授修撰，历宦乾隆、嘉庆、道光、咸丰四朝，曾任工部、户部、吏部尚书，武英殿大学士、太子太傅、军机大臣等职；晚年还以四朝元老的身份，竭力举荐因主张禁烟而受朝廷排斥的林则徐。潘世恩之孙潘祖荫，咸丰二年（1852 年）探花，授编修，迁侍读，后连升为大理寺少卿，工部、刑部尚书，太子太保，军机大臣等。祖荫在职期间，左宗棠因事被劾，召京审问，祖荫上疏为左宗棠辩白，并力陈左宗棠才能，使其复起并独领一军。

潘世恩祖孙都位居高官，享尽人间荣华，这对古徽州来讲，是件十分难得的事，因此时至今日，在大阜一带还流传着不少与这对祖孙有关的传说。

其中一则大概是佛教徒附会出来的，据说潘世恩的先人是虔诚的佛教徒，曾九次欲前往九华山进香礼佛。大阜之往九华有数百里。

那位先人在进香的路上，见有衣食不济者，便慷慨以自己的盘缠相赠，结果前八次均因川资不足未至九华。第九次，那位先人已行至九华山脚下，见路旁有一衣衫褴褛的老者，奄奄待毙。先人未及多想，倾尽身上的干粮与盘缠放在老人身旁，就转身准备回家。但眨眼间那位老者忽地不见，地上留有一纸，上书："大阜潘家人，九代荣华，十代富足。"潘姓宗族自此后果然兴旺发达。讲罢这则传说的大阜人说，看来信佛并不在于形式，只要心中有佛，多行善事，一样能为子孙祈得福祉。

另两则传说是大阜村人自我夸耀他们与皇权有着异乎寻常的"关系"的。遇水架桥本是寻常的事，但民间建桥多为一、三、五拱，尤其忌讳双拱，因双拱恰如龙眼，只有紫禁城里方可建得。而在大阜村东，却有一座玲珑剔透的双拱石桥，横跨在从村中流过的玉带河上。据说潘世恩一次与皇上闲聊："家乡欲建桥，单拱显短，三拱过长，奈何？"皇上未在意，随口应道："如何不建双拱？"于是潘世恩便奉旨在家乡建造了一座龙眼桥。另一则说的是潘祖荫。一日皇上见潘祖荫郁闷不乐，便询其有何心事。潘祖荫称："宗祠修阶梯，八级见短，十级过长，奈何？"皇上讲："如何不修九级？"祖荫赶紧跪谢龙恩，身旁群臣哗然。原来"九"为尊数，九级阶梯唯金銮殿上才可建造。皇上自知失言，但金口已开，覆水难收，只能听任潘氏宗祠内建造九级阶梯了。如今龙眼桥仍健在，潘氏宗祠里也确实建造有九级阶梯，但考察潘世恩祖孙的为官之道，他们犯不着为了家乡在皇帝面前玩如此小把戏。大阜人有此传说，无非是炫耀"朝中有人"，试图借此以提高村落的地位而已。

潘世恩为"四朝元老"，潘祖荫在朝伴君四十年，翻看他们的生平，他们的仕途同样的一帆风顺，从未遭受过波折；他们办事缜密，言语谨慎，从未因有闪失而遭朝野指责，但也乏政绩可陈。所谓荐林则徐、保左宗棠，也只是尽了为官之责而已。"读书入仕"是深受程朱理学熏陶的古徽州人最高愿望，徽州历史上达官显贵也确实出了不少，但缺少刚烈、直谏之臣，不知道他们的为官之道，与以商人为主体的徽州文化之间有没有关联？

白杨十八村

　　春秋时吴国灭亡之后，吴王夫差的三太子被流放到古徽州，其后裔为示不忘故国，以吴为姓，据称此即为徽州吴姓之始。到了明朝万历年间，吴姓已为徽州的望宗大族。而此刻生活在歙县北岸村的吴姓子弟们明显感受到了"地狭人稠"的压力。村中有个叫吴泓玠的人，一日沿那条穿村而过的溪流上行，过一丛低矮的坡地，两旁有山挺立如门；复往前行，水越发湍急，路越发崎岖，林越发茂密，天也越发狭长。行八九里之后，天地豁然开阔，那顿失逼仄之势的山坡上是无穷无尽的白杨树林，而那条逶迤而来的溪流的尽处已有了炊烟人家，那是先行来此祁、方两姓共居的方祁村。泓玠公认为此处土壤肥沃，生气旺盛，是理想的居住之地，遂携妻在方祁村旁结茅为庐。泓玠生宗橄、宗橼、宗榆、宗祺四子，后又得自宗、自强、自约、自化、自乐五孙，吴姓自此人丁兴旺，而村中祁、方两姓却日渐衰微。后又有汪、王、程诸姓在谷地周围形成上祈、新桥、上村、显村、伏塘等村落，它们都指那一片白杨树为共同的村名。此后几百年在各姓的共同营建下，白杨村变成了古樟荫天蔽日，亭阁飞檐翘角，山丘四围的村落星罗棋布而又遥遥相望的优美的山村了。

古徽州各姓聚族而居，一般一村皆为一姓，宗族内实行严厉的宗法统治，故而"不尚佛老之教，僧人道士，惟用之以事斋醮耳，无敬信崇奉之者"。而白杨号称有"十八村"，可能是异姓杂处的缘故，在进村的水口亭上，曾有一幅"来者问津须礼佛，去时留志勿传人"的楹联，数百年来这里以菩萨灵验、香火兴盛而吸引着四乡乃至苏浙一带的香客，这在古徽州颇不多见。

"话说白杨十八村，供奉一座金观音；挨村分族轮流转，只接无送多虔诚。"这是流传在歙县南乡的一首民谣。白杨的"金观音"其实是用楠木雕刻而成，只是每五年开光一次，把它全身贴一层金箔。若干次开光之后，那尊观音便通体金光灿烂了。每月农历初九、十九、二十九，白杨各村各族轮流接供金观音。而每年大年初一接观音，则是白杨佛事的最高潮。一位当地的老者以这样的文字来回忆当年的盛况：

"倘逢大年初一接观音，更是热闹异常，整个白杨几乎沸腾起来，一起共襄盛举。旗幡招展，华盖如云，钟声震天，礼爆炸地，顶炉焚声，

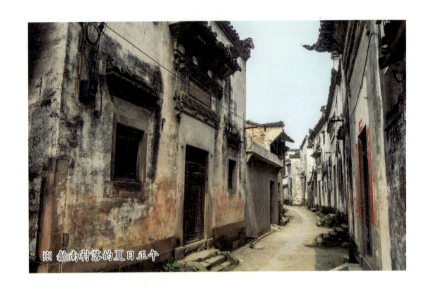

※ 徽南村落的夏日正午

礼佛者众。乐师轻吹细奏悠扬明快的戏曲，伴护着特别雕刻的紫竹石岩透空大轿，佛像安置其中，悠悠扬扬，浩浩荡荡，井然而去。沿途通过的村庄，家家户户都设香案鸣爆路祭，盛况空前。"

导致白杨佛事兴盛的另一个原因，可能是由于这里的山水多灵幻之气。距水口不远的一处山坳里，"文革"之前还存有一座佛寺，寺名"抱钟声"。据说寺内那口铜钟之巨举世罕见。与寺隔溪流相望的是一座低矮的小山，那山两头浑圆而中间略略凹陷。经知情者指点，发觉那小山极像当年僧侣们日夜敲击的木鱼。另在距方祁村五里的大山中，有一处名为"大石塌"的地方，陡而高的石壁之上有块四面均为丈余的方石，方石上不知被何人镌了十八个蝌蚪形的文字。据说若有人读出那十八个字，石壁会应声而开，里面有十八把巨大的金交椅，可买得半壁江山。某年有位尼姑途经此处，竟将那字一一读出，待她读到第十七个字时，顿感内急不已。方便过后再来读那字，却再也无一字识得。如今每年都有好奇者前往探访"大石塌"，巨石上那字依旧清晰，只是尚无人能识得。

当然，白杨的山水不仅是以其灵幻给人精神上的愉悦，更以其肥美使一代代的白杨人得以繁衍生息。"白杨三样白，石灰、面粉、观音土"，指的是白杨出产的面粉、石灰、观音土，以颜色洁白、质量上乘而远近闻名。而事实上，较之"三样白"更为出名的，是白杨烧制的砖瓦。被挖掘出来的泥土经过筛选、淘洗沉淀、反复地揉搓摔打后制成砖瓦粗坯，然后装进老窑中高温煅烧三天三夜，方才冷却出窑。烧制一窑砖瓦不仅是一场繁重的体力劳动，更需要凭借一代代砖瓦工口传手授积累而成的高超技艺。白杨烧制的砖瓦坚牢耐用，烧制的"鸱吻""花沿""覆面""滴瓦"等装饰物件以精致美观而行销四方。

由于地狭人稠，"十三四岁，往外一丢"曾经是大多数白杨人难以挣脱的共同命运。在村中念过几年私塾，便跟随族中长辈到了苏州、杭州或是松江某座小镇的某家商号，先当学徒，后成伙计、掌柜，历尽万般苦辛为自己谋得一份安身立命的家业。尽管大多数

白杨人只是"称雄宇内五百年"的徽州商帮中普通一员,但也不乏出类拔萃者。如村人吴树仁的事迹,就屡见于徽商研究的文献之中。此公系清道光年间人,慷慨有大略,又善操持谋算。年轻时在新安江畔的重要商埠深渡开设"吴裕记"杂货店,又设裕记茶号,为降低茶叶成本,减少中间环节,他收购茶园近百亩,又亲自主持茶叶炒制。据说裕记茶号兴盛时有炒茶锅360只,常年雇佣技术工50人,烙拣筛工300余人,其"吴裕记"三字招牌,就是专门请人赴京花银钱求清末状元洪钧写的。太平天国前后,他在家乡方祁村为三个儿子建造楼房。楼房占地十亩,厅堂、天井、明房、廊房接连布局,平直与曲折交替,开阔与幽深相间,亭台、花园、鱼池一应俱全。据说各种门就有36扇,解放之前曾一度成为村人躲避"抓壮丁"的好去处。而有缘来到白杨的人,大都希望能到这片楼房里去徜徉一番,以领略徽派建筑的古雅、简洁、富丽但不流于奢华的艺术风格。

1930年春季里的一天,在白杨村的水口亭,一位翩翩少年正与家人殷殷惜别。少年名叫吴范,在家乡读完小学并自学完初中课程,此时正往外地求学。到了杭州后,他考取了杭州笕桥航空学校。凭着强烈的报国之心以及徽州人的吃苦耐劳、开拓进取精神,他以总分第一名的成绩从该校毕业,并被授予少尉军衔,后在南昌、武汉航空部队服役。1937年"八一三"事变爆发,吴范奉命驾机阻击日军,并取得了击落敌机四架的优秀战绩。这一年的11月25日,吴范驾驶轰炸机,从南京飞往上海,轰炸日军停泊在吴淞口至崇明岛之间的"出云"号旗舰。当时下有敌舰炮火封锁,上有敌机堵截,吴范凭着慷慨赴死的勇气和过硬的驾机技术,避开火力网,将炸弹准确地投入"出云"号的烟囱,使敌舰爆炸起火。但吴范所驾驶的飞机油箱中弹,终在飞至南京机场上空时爆炸。英烈血洒长空之后,白杨吴氏祠堂内召开隆重的追悼大会,灵堂内正壁悬挂着吴范生前誓言:"国难方殷日,男儿效死时。"蒋介石等国民政府各级官员送来的挽联、挽词和诔文挂满了灵堂两侧。国难面前慷慨赴死,这样的事例在古徽州并不多见。吴范,使得白杨村在徽州村落里显露出异样的气质。

别样人生话长标

　　长标作为歙县曾经的 41 个乡镇之一，有几项是创下全县"之最"的。一是所辖行政村最少，只有三个，人口尚不足四千；二是在已通公路的乡镇中，境内公路里程最短，只有四公里；三是旅馆饭店

※ 春山雨后

最少，全乡至今还没有一家正式挂了招牌的饭店。

　　乡政府的驻地就是长标村，由于满目青山全都逼仄相拥腾不出空处，七八百户人家只得密匝匝地拥聚在一座大山的胸前。村中唯一的一块平坦不过百来个平方米，是乡中小学的学子们出操和上体育课的唯一场所。当然在这块操场上玩篮球是件须慎之又慎的事，一旦那球出了场界，便顺山势飞腾而下，转眼之间就不知消失在山下哪块庄稼地里了。操场之外，家家户户的屋宇顺山势层层排列开去，常常是前户的屋顶，恰与后一户的门槛持平，而更后一户门前种植的南瓜藤，又毫无节制地在中间那家的黑屋瓦上蔓延并且开花结果。村中那条仅容两人并排而行的石板路，仿佛永远都是向上的台阶。长标村千余人口守望着巴掌大的天空，有两样东西在这里显得特别珍贵：一是土地，近村的山全都被开辟成了层层而上的茶园，却仍嫌不足，还季复一季地在茶园里套种黄豆、玉米。房前屋后稍有空闲之处，全都被恰如其分地种了几株葵花，或是一架羊角。二是用水，村之里侧本有一线溪水自山顶潺潺而下，但到了三伏，那溪只在累累卵石之下悄作呜咽之声，全村人的洗涮饮用只能依靠那口水面只有八仙桌面般大小的水窖了。上百只水桶在水窖口终日彻夜地排着长队，曾是多少代长标人刻骨铭心的记忆，直到前些年在政府的支持下，村民们用一线钢管从更远的山谷里翻山越岭地引来泉水，

※ 山芋枣是长标特产

长标村的"用水难"问题才稍稍得以缓解。

长标乡另两个行政村分别叫贤源和谷丰。两村的村名都一样的古旧雅致，向两村而行的道路也是一样的坎坷崎岖。先说贤源，沿长标村人家屋后的道路继续向山上攀行，越往前就越发觉得长标村其实还不算高，而那山路仿佛总没有尽头。足足五里路之后，路旁一座用石块垒起的避雨亭提醒你已到了岭头。岭之一侧是半山腰中的长标村和村前村后的层层茶园，另一侧全是青翠山林以及无数条山与天际合的虚虚实实的线。前行的道路两旁草木越来越茂密，远山越发低矮，却不见一缕炊烟。弯过几道山坳你想坐下喘口气，却见那青青的箬叶之下正盘着一团花蛇。一路行去尽是怪异的树和招摇的花。你忽然觉得前方草丛中有双眼睛正注视着你，待定神看去，路上忽地有一似兔似鹿的东西跃向路外，而除了你自己怦怦地心跳外再无任何声响。不知经历多长时间你几乎逃也似地钻出那条绿色隧道，眼前终于看见贤源村前两株高大的古树，古树下历历的白墙黑瓦，明镜般的水田，还有策牛扶犁而行的农人，使你顿生一种误入桃花源般的唐突和不安。

　　相比之下，从长标前往谷丰村的道路要舒缓、亮堂得多。弯过长标村前那道坡，前是狭长而幽深的山谷，你听得见谷底树遮草掩处有奔腾的水声。那路却又顺山势往上折行，那山坡上稀稀疏疏地散落着炊烟人家，穿过大顷油茶花地，金黄色的花粉会沾满你全身。路旁有母鸡带领几只鸡雏自顾觅食，还有一蓬月季花兀自寂寞地红。路从那人家屋后的茶园中盘旋而上，有四五户人家毗邻而居，一位背着孙儿的老汉正在屋旁水笕边淘米，你向他探问谷丰村的去路，老汉说："这里就是谷丰。"他指了指远山森郁树木之外依稀有人烟处："从这里到那里都叫谷丰村。"

　　"晴时早晚遍地雾，阴雨成天满山云。"长标常年被云遮雾掩的地势特别适宜茶叶的生长。这里的茶园多处于山林之间，茶叶采摘之时适逢山林里幽兰喷香，杜鹃绽放，百鸟欢啼，这一切仿佛给长

※ 温暖冬日

标的茶叶注入了无穷的灵气。前些年在农业技术人员的指导下，长标人不断改进制茶技术，并由以往的手工炒焙改由机械炒焙以稳定茶叶的品质，终于创制了"长标香芽"，色泽黄绿，芽尖似峰，冲泡后有袅袅香气扑面而来，使人觉得正漫步于长标的清新山野之中。

大人们栉风沐雨地在茶园里忙碌的时候，他们的子女们便吆三喝五，一个个背着大竹筐往山林里去拔笋。成筐的茶笋被拔回家后，长标人多不鲜食，而是将它剥除外壳后，加入足量的食盐在铁锅里煮熟，在内置木炭火的背篼上焙上三天三夜制成茶笋干。茶笋干在长标人眼里是一种寻常菜蔬，它的好处是与南瓜、辣椒同炒，夏季无论天多热都不易发馊。而在外地人眼里，茶笋干是难得的山珍，绝对符合绿色食品的标准。于是每年四五月间，便有许多外乡人到长标收购茶笋干。

被称作山芋的红薯是长标人怀有深厚感情的一种作物。尽管今天长标人不再以它作主食，但仍保持着种植它的传统。这里出产的山芋以其瓤的颜色不同分为红心和白心两种。个小的红心山芋煮熟后被烤晒成半干，其形其味皆如枣，而嚼来更觉有股韧劲，长标人称其为"山芋枣"。白心山芋被切成条状，晒干后存放至腊月，再用油煎炸，正月里用做招待拜年的亲朋们的点心，酥脆而又香甜。

长标最具风情的季节是冬天。当寒风把一切浮华都褪去之后，长标只剩下褐黄的土地和层层墨绿的茶园。长标人也暂时从无尽止的劳累中挣脱出来，挎个火篮子蹲在墙角享受安谧的冬阳，或者静静倾听瓦楞间雪珠飘荡的声音。蓝色的炊烟终日若有若无地在屋顶上飘，堂前火盆中不熄的木炭火使老屋永远沉浸在一种橙黄色的温暖之中。此时你若有缘踏进老屋，主人接待你的定是往火盆上摆一只硕大的陶瓷砂锅，砂锅内是陈年的火腿、茶笋干和白豆腐，火盆四周围起长凳，碗筷和酒具就摆在长凳之上。这种世界上最亲密无间的方式很容易使人忘记时间的存在。当你踉跄地与老屋告别后，你依稀记得这大半天里你的酒杯里没断过酒，而你们谈论的话题没离开过雨水和庄稼的收成。

前些年实行撤乡并镇，长标乡这一称呼成了历史，而前往长标探访的人越来越多，因为到过长标，你才知道了人本是可以以一种简洁、质朴的方式生活在这个世界上的。

那些文人们寻访过的歙县

李白　缥缈歙县

  李白抵达歙县是公元 754 年初冬的一天。这个时节对于处于四山环绕之中的歙县而言，还感受不到严寒的气息，只是漫山遍野的雾，太阳彻照之后，便化作缕缕白云，缭绕在满是红叶的半山间。

  因为一首诗，一首十几年前在一家驿舍的墙壁上读到的诗，这些年来寻访歙县的念头便一直徘徊在他脑海里挥遣不去。但最终促成他这次皖南之行的却是应青弋江边那个叫汪伦的乡绅所邀。汪伦在信中说："先生好游乎？此地有十里桃花。先生好饮乎？此地有万家酒楼。"这显然令李白有些怦然心动。但我想真正让李白决意收拾起行囊，登上那条溯青弋江而上的帆船的，是因为青弋江的源

※ 古城歙县——徽州府

头直抵歙州腹地，那里有一个他憧憬了十多年的梦。凛凛寒风使青弋江水显得更加清冽，两岸是秋收后萧瑟的田野，还有茅屋顶上飘升着炊烟的村落人家。船至南阳镇，李白一眼就从码头上熙熙攘攘的人群中认出了衣着华丽、略显富态的汪伦。见了面，汪伦便忙不迭地解释：所谓万家酒店，仅是因为集镇上那家酒店的老板姓万；所谓十里桃花，是因为此去十里，有渡口唤作桃花渡。李白气宇轩昂地笑笑，其实他压根没有在这初冬时节看桃花的心理预期。盘桓数日，汪伦呼朋唤友，宾主酬酢甚欢。临别之日，汪伦为李白备足干粮，赠以玉帛，并在岸边踏歌相送。眼前这个虽有几分狡黠但不失淳朴的汉子使李白有些感动，于是就有了那首传诵至今的《赠

※ 歙县徽城南谯楼(摄于"文革"期间)

汪伦》。

　　船行江之尽头，夕阳正薄西山，脉脉斜晖中，远方峰峦掩映，状若云屏。此处已是黄山地界。行至半山，见一屋厅堂高敞，虚掩的门内有灯火粲亮，李白正欲叩门投宿，恰一面相和善的老者从屋里探出身来，李白说明来意，相互通了姓名。老者姓胡，名晖，称对李白大名早已如雷贯耳，连忙延请进家，呼僮仆沏来香茶。煮酒做饭。宾主畅叙之际，却见一对白鸟翩然飞落胡公家，李白识得那鸟正是他十分喜爱的白鹇，而且知道这种鸟性格耿介，非常难以驯养，但见僮仆唤那鸟儿，鸟儿飞扑扑去他手中啄食。李白大为惊奇，胡公解释说，这对鸟儿原本就是他家母鸡所孵，白天在山林自在翱翔，晚上回到庭院里栖息，这么多年来跟他们相处如家人一般亲热。
李白见那鸟儿通体雪白纤尘不染，步态轻盈雍容，十分喜爱，胡公
觉察李白心思，说久闻先生诗名，若能求得一诗，当以白鹇相赠，
李白才思泉涌，文不加点，提笔写下：

　　"请以双白璧，买君双白鹇。白鹇白如锦，白雪耻容颜。照影
玉潭里，刷毛琪树间。夜栖寒月静，朝步落花闲。我愿得此鸟，玩
之坐碧山。胡公能辍赠，笼寄野人还。"

　　笔落诗成，胡公对李白越发恭敬。言谈间问及李白前往何处，
答曰歙州。胡公说此去歙州虽仅百里之遥，但沿途群峰攒立，多断
岩绝壑，鸟道迂回，荆榛满目，路途尤其艰困。但李白坚定地摇了

※（徽城）许国牌坊

摇头，见李白去意已决，也就默不作声。

次日清早，在胡公的目送下，李白跟随着胡家的僮仆披荆斩棘，从屋后向山顶一路攀援而去。沿途果然如胡公所言，岩高林深，险绝异常，却也见得奇峰耸拔，烟霞万里。李白默默地诵念起十多年前那首从数千里外的歙州驿传长安的诗：

隐居三十载，筑室南山巅。

静夜酌明月，闲朝饮碧泉。

樵人歌垄上，谷鸟戏岩前。

乐矣不知老，都忘甲子年。

这些年来，李白一直在心里摹刻着这首诗的作者许宣平该是怎样一副仙风道骨模样，他渴盼着两人能就着窗外松间明月，在袅袅茶香中围绕诗歌人生作一次彻夜的促膝长谈，或者一袭箬笠蓑衣，携手游历万壑千山。

次日晌午，两人攀上箬岭顶，俯瞰云蒸霞蔚间，田畴平阔，屋宇点点。胡家僮仆称山下便是歙县，拱手长揖作别，年逾五旬的李白健步下山，有种身轻如燕的感觉。

歙州郡县同城。罗城内郡王宫室飞檐翘角，气势轩昂，宫廨、门楼端庄齐整，井然有序。罗城之外是子城，士民商贾杂然相处，贩夫走卒不绝于途，吆喝叫卖声此起彼伏。李白逐一打听，店家中竟鲜有识得许宣平者。后终于有一家酒肆的伙计告诉他许宣平结茅于城南之城阳山南坞，偶尔曾见他挑着柴火进城贩卖，担子前挂着竹子做的拐杖和酒葫芦，看上去四五十岁的模样却健步如飞。卖完柴后常在他店中饮酒，酒兴酣然后将酒葫芦注满酒，挂着拐杖飘然而去。因他不喜与人交往，相貌清奇且行踪飘浮不定，当地人都尊称他为"许真人"。

听罢此言，李白想见到许宣平的心情越发急切，他按着伙计的指点向城阳山匆匆而去。

宋朝罗愿编撰的《新安志》中记载，"城阳山在县南二里，高百九十仞，周四十里"，山体不高，山势起伏绵延。后世因其"每将晓日未出，紫气照耀，山光显灿，类赤城霞，故曰紫阳"。这是一座与朱熹父子有深厚缘分的山，朱熹的父亲朱松，早年在此山中读书，觉得此山"崇冈内抱，清流外襟，黄山练水之秀，风泉云壑之奇，极为新安胜景"。朱熹对此山更是迷恋，不仅号称"紫阳先生"，而且在此处开坛讲学，一时生徒云集，书声鼎沸。当然，这些都是后话。

秋冬之际的城阳山中，树杪百重，落叶纷纭，源泉飞洒，鸟雀鸣啾，可谓风光无限。然而空山寂寥，李白在山中转悠半日，也未见得人影。彷徨四顾之际，忽见对山浓荫中斜露半角屋檐，李白顾不得荆棘拉扯衣衫急急而去，推开虚掩的柴门，但见四壁萧然，两三张破损的椅榻上尘灰厚积，像是许久没有人住的模样。但在向南的墙壁上有淡淡的墨痕，仔细读来竟是一首五言绝句：

> 负薪朝出卖，沽酒日西归。
>
> 借问家何处，穿云入翠微。

李白料定这便是许宣平的住所，然而空山无人，四顾茫然，该向何处探寻他的踪迹？十多年来隐藏在心中那份对晤面的渴盼，不远千里跋山涉水而来的那份艰辛，翻滚的心绪一时难以平抑。在茅屋前逡巡良久，返回屋内，在墙壁上那首绝句旁题下：

> 我吟传舍诗，来访真人居。
>
> 烟岭迷高迹，云林隔太虚。
>
> 窥庭但萧索，倚杖空踟蹰。
>
> 应化辽天鹤，归当千载余。

李白披着满身夕阳下山，行至城外西干山下时，夜色渐浓，路旁有酒幡飘扬。进得店去，但见店堂整洁，店小二十分殷勤。几大碗酒落肚后，李白挑开窗帘，一轮皓月当空，天幕碧蓝如洗，远方月辉中的城阳山如出浴少女般清秀动人，不远处佛屋丛丛，烛光摇曳，正是僧人晚课时间，"比弦诵钟，梵若应和"，而窗外正是绕城而过的练江，波光粼粼宛如一江碎银。此情此景，白天的惆怅和郁闷

※ 李白当年小酌处(徽城太白楼内景)

顷刻如烟云散尽，李白想起年轻时曾寻访过的浙江天台山国清寺的
优美景致，想起自仗剑出蜀，辞亲远游以来所经历的诸多美好时光，
不禁吟哦道：

> 天台国清寺，天下称四绝。
>
> 我来兴唐游，与中更无别。
>
> 卉木划断云，高峰顶参雪。
>
> 槛外一条溪，几回流碎月。

王世贞　风雅歙县

文学史中有人把王世贞这次徽州之行称作赴"白榆之约"，至少从表面上看来，这是一次有关诗歌的聚会，时间是 1588 年前后，这也是王世贞唯一的一次徽州之行，在徽州那边等候他们的是以"黄

※ 暮色新安江——歙南漳潭

山主人"自居的汪道昆。

　　虽然是明嘉靖二十六年（1547年）的同科进士，但王世贞对汪道昆的相识、相知，直至不顾年老体迈，以文坛领袖的身份，亲率三吴、两浙百余名士跋山涉水千余里专程拜访汪道昆，此间大约经历了半个世纪的光阴。1548年，王世贞初官刑部，与比自己长十几岁、同在刑部为官的李攀龙相识，两人经常在一起"切磋为西京、建安、开元语"，也就是讨论唐以前的文学作品，两人一致认为：散文自西汉以后、诗歌从盛唐以后，都不值一读。因为古文已有成法，今人作文只要模拟古人就可以了。由于旨趣相投，两人创建盟社，伸张声势，一时间，谢榛、宗臣、梁有誉、徐中行、吴国伦、余日德、张佳胤等当代文坛巨擘纷纷纳入麾下，与正德年间以李梦阳、何景明为代表的文学流派"前七子"相互呼应，彼此标榜，提倡复古，声势更为浩大。后人这样评价王世贞："（王世贞）弇州负博一世之才，下笔千言，波谲云诡，而又尚论古人，博综掌故，下逮书、画、词、曲、博、

※ 歙南瞻淇民居

弈之属，无所不通。"还有人说："自世贞之集出，学者遂剽窃世贞。"
可见王世贞对当世的影响之大。

正当王世贞在京都率领"后七子"高举复古大旗，"琢字成辞，
属辞成篇"，孜孜以文学创作，并在文坛声誉鹊起、如日中天的时候，
汪道昆却在进行着另外一场轰轰烈烈的事业。他登第后随即离京赴
任浙江义乌县令。当时倭寇侵扰东南沿海，烧杀抢掠，无恶不作。
为保一方安宁，在时任浙江总兵胡宗宪的领导下，与抗倭名将戚继
光通力合作，汪道昆运筹帷幄，戚继光领兵布阵。为对付锋利无比
的倭刀，汪道昆发明了一种取名为"筅"的竹制兵器，在抗击倭寇
中屡奏奇效。由于军事指挥才能突出，汪道昆不断升迁，历任福建
按察副使、福建巡按等官职。戎马倥偬之余，自小就以"修古"自
勉的汪道昆敏锐地感受到从京城飘荡过来的以李攀龙、王世贞为核
心的文学圈里强烈的复古气息，对他们的倾慕之心油然而生。他多
次去信给李、王，奉上自己的书稿，感慨因自己宦游在外，与他们"生
则同时，居则异地"，希望他们指点迷津，能够交流切磋，结交往返，
甚至"或得把臂湖山间"。

起初汪道昆的这份企仰之情并未引起王世贞多大在意，他与汪
道昆保持书信联系更多的是出于同朝为官的礼貌。但随着交往的日
益深入，汪道昆的为文取向渐渐引起王世贞的关注，并把他引为学

※ 歙西棠樾群绕的牌坊——徽州历史的旌表

古趣味相投的同志。1566 年，汪道昆结束福建巡抚的任期，回到原籍歙县听候调遣，他和弟弟汪道贯结丰干诗社，与家乡的诗人们唱酬应和。第二年，在被召入京协理戎政的戚继光的陪同下，汪姓兄弟前往吴中拜访王世贞。从文献上看，这是一次宾主都十分愉悦的会晤，王世贞、王世懋兄弟与前来拜访的三人"相与纵谈皇王帝霸之略、阴阳消息之妙，探坟索，穷六艺，下至《齐谐》，虞初之所不载者，靡不抵掌而尽之"。

所谓"人生不相见，动如参与商"。这次晤面之后，王世贞出任浙江参政、山西提刑按察使。汪道昆则先后赴任郧阳巡抚、湖广总督、兵部右侍郎。1575 年，厌倦了官场险恶的汪道昆辞官回到故里徽州府歙县孝悌乡龙兴大社千秋里，在新安大好山水间安心地过起了寄傲湖山、优游林泉、泛交文友、潜心著述的日子。1580 年，湖南武陵人龙膺来任徽州府推官，十分倾慕汪道昆的文学造诣，几经交往后，两人与汪道会、汪道贯、潘之恒等人缔结白榆诗社。诗社以徽州本土诗人为主体，外地的志同道合者，也"择可者延之入"。"旬月有程，岁时有会"，治酒征歌，分韵赋诗，随着影响越来越大，李维桢、屠隆、胡应麟等外地诗人名流甚至是"后七子"中精英都纷纷入盟白榆诗社。

汪道昆生活的时代，正值徽州商人以整体的力量登上历史舞台。商业上的如日中天，财富上的囊丰箧盈，遂使徽州人的群体意识日见高涨，当时的经济社会，正如万历年间编著的《歙志》所云："郁郁乎盛矣！"以徽州一府六县为单位编纂的《新安大族志》《徽郡诗》《新安文粹》《新安文献志》《新安山水志》等文献相继问世，浩如烟海，汪公会、赛神会等各种民俗活动此起彼伏，多彩丰富。汪道昆出身于商贾世家，又兼有退休官员和文化名流等多种身份，"吾大父、先伯父始用贾起家，至十弟始累巨万。诸弟子业儒术者，则自吾始"。他责无旁贷地成为当时各类文化活动最为有力的推波助澜者，以致到了清朝末年，家境败落的徽州后人们说起前朝故事，不免心存幽怨："前明士大夫，鹜于文酒诗社之事，吾乡人情俗尚敦厚，故投赠独优，不知者误以为富。"

　　1570 年，"后七子"中的领军人物李攀龙去世，王世贞成为独步一时的"文章盟主"，意气声望笼盖整个文学圈。"一时士大夫及山人、词客、衲子、羽流，莫不奔走门下"。而其与汪道昆的交谊也在鸿雁往返中日益深厚。1583 年，汪道昆携其弟道贯前往吴中二访王世贞。王世贞让出自己最为中意、极尽园亭林木之盛的私家花园弇山园供他们居住游玩，"主人供弇山之具，竟日为逍遥游"。汪道昆一行留驻七日而始发，王世贞、世懋兄弟一路送到昆山，双方商定两年后汪道昆再往吴中，为年届六十的王世贞"躬奉一觞为寿"。虽然到了约定的时日，因弟道贯生病未能成行，但一年后，

※西溪南村里国家级文物单位——老屋阁和绿绕亭

汪道昆三访王世贞于吴中，这次偕行的有徽州推官、白榆诗社的主事之一龙膺等人。王世贞对这次来访很是看重，事先专门修葺"来玉之堂"供来自歙县的客人们起居，日日与他们欢宴相聚，酒酣耳热之际，王世贞引汪道昆为终身的两个知己之一："始则于鳞（李梦阳），终则伯玉（汪道昆）。"正是在这次聚会上，王世贞承诺来年将前往徽州履"白榆之约"。

本来在次年"秋以为期"的"白榆之约"一直延宕到1588年春天。这一年王世贞心情大好，十六年前因抗倭失败而被严嵩冤杀的父亲王忬，在世贞兄弟的多方奔走下终于得到平反昭雪，刑部以"破虏平倭，功业可纪"为其请旌。郁积多年的胸中块垒得以消除，又值江南四月，春风骀荡，王世贞心中的欢愉和期盼之情难以遏制。待三吴、两浙各路名流在杭州武林聚齐之后，王世贞率他们依次登上溯钱塘江而上的帆船，钱塘江上溯富春江，富春江而入新安江，杭州至徽州，水程六百里。船舱外，时而烟波浩渺，鸥鹭翩飞，过往船只风帆正鼓；时而滩险水激，夹江两岸群山蜿蜒，翠岗重叠处多飞瀑流泉。曾官任河南左参政、"后七子"之一的吴国伦，以博闻强记出名，并以《四库总目》流传于世的李维桢，擅写李白故事的万历进士屠隆，衣冠楚楚、曾任袁州推事的余杭人徐桂，少年时赋得《昆仑行》680言，被人誉为"天下奇才"的兰溪人胡应麟，

※ 皖南人家

　　他们或在船舱里眉飞色舞地高谈阔论，或悄然一人站立船头轻摇羽扇低声吟哦。十日的行程，晓行夜宿，竟日作画中游，实为人生一大快事。

　　与此同时，徽州腹地歙县千秋里，接待的筹备工作也在紧张有序地进行着，汪道昆的居屋称"百部房厅"，有住房百余间，间有花园十余处，但尚不足以容纳三吴、两浙的百余来宾，需另"僦名园数处"，但这似乎不是难事，因为当时经济实力已十分雄厚的徽州商人输金回乡，在故里大兴造园之风。与千秋里隔丰乐河的西溪南村，徽州望族吴氏世居之地，村中多名商巨贾，"广园林，侈台榭"。

村中有"果园"，"原有一大塘一小塘，树有柿、枇杷、花红、梨、枣、杨柳；花有蔷薇、芙蓉、梅、橘、石榴、牡丹、月季、海棠，唯白玉簪树高约三丈，此特别之花也。景有六：仙人洞，观花台，石塔岩，牡丹台，仙人桥，芭蕉洞"。有曲水园"累白石为山，峙亭北，或云群玉山，跨涧道为桥，得孤屿，如环璧，花石错置，当其中"。千秋里右行为徽州另一望族汪姓的世居之地潜口，村里有水香园："入园即见方池，池四面即古梅，不可以数计，铁干婆娑，蔽空扑地，或横或斜，万状无端。梅花虽落，流水犹香。"与这些名园一起迎候三吴两浙的宾客的，还有白榆诗社及其他徽州文士名流，他们中有"倜傥自负、具文武才"的王寅，有"诗程古昔，取材厖宏"的休宁国子生汪淮，曾编撰《新安诗集》的休宁人陈守友，有诗作被王世贞评为"一唱三叹，有余音矣"的汪道昆胞弟汪道贯，"少年攻诗，不甘常调"的歙县人潘纬，秉性豪宕、白榆诗社创始人之一的歙县人潘之恒，身材短小精悍、性格豪放任侠的休宁人程可中。

有关这次歙县历史上最为盛大的人文聚会，如今只能从两篇文献中去一窥当时的盛况了。一篇是参与人之一王寅写的《座上吟赠王凤洲麟洲二使君》，王凤州、麟洲即王世贞、世懋兄弟。诗中称"君家交结客满堂，管弦日日华筵张，我来长揖惊四座，短褐跟跄鬓已苍"。可能是王寅赴宴迟到了。席上已觥筹交错，黄金杯、白玉卮，热闹非凡，当白发苍苍、一身穷苦打扮的王寅往内通报姓名时，席中纷纷起身让座，原来他们早已知晓王寅的诗名。诗中还有"黄藤吊床悬中央，闭门衔觞五日醉，醉中细问隋家事，开河锦缆翠娥牵"。吊床悠悠晃荡，日日酒兴酣然，漫说前朝故事，这样的聚会何等悠闲浪漫。而清初歙县人张潮在《歙问小引》中介绍的是另外一番景象，三吴两浙的宾客入住各名园之后："每一客，必一二主人为馆伴。主悉邑人，不外求而足。"为陪好这些远方来客，"以书家敌书家，以画家敌画家，以至琴、弈、篆刻、堪舆、星相、投壶、蹴鞠、剑槊、歌吹之属无一不备。与之谈，则酬酢纷纭，如黄河之水注而不竭。与之角技，宾时或屈于主"。徽州人才之多，才艺之高，令王世贞

※ 歙县古城墙

等大为叹服。淹留数月，方才离去。

关于王世贞这次歙县之行，并不见于汪道昆和王世贞两人的著述之中，于是有人对这则故事的真实性表示怀疑，近来有学者研究指出，王世贞确实来过歙县，不过在赴"白榆之约"的同时，还肩负另一项秘密使命，那就是编修"西园故事"。所谓西园故事，是指著名抗倭将领胡宗宪曾召集幕僚在歙县西园运筹帷幄，并以计谋擒杀倭寇汪直、徐海、陈东，这本是惊天地、泣鬼神、救百姓于水火的伟大事业，却因当时胡宗宪被诬为严嵩同党并冤死狱中未能得到公允的评价。编写西园故事政治风险巨大，两人不得不对这次歙县之行三缄其口。当然这只是一家之说，王世贞歙县之行的真相如何，留待有兴趣者拨开历史烟云，去作深入的探究了。

郁达夫　清冷歙县

郁达夫此刻的心情可谓沮丧到了极点，他刚刚尾随着一行人等进入一家旅社，厅堂低矮四周黑魆魆似乎堆满杂物，走上簌簌抖漏着尘灰的楼梯，就着店伙计的煤油灯看清床上那堆黑乎乎被褥，郁

达夫顺手一摸，不仅冷硬如铁，而且扑面而来一股浓烈的腥臭味，他似乎被这股味道给呛住了，逃也似的来到门口大口呼吸着新鲜空气。林语堂也衔着烟斗跟在身后走出旅社，那常挂着幽默笑意的脸此刻也有些僵硬。最后走出来的潘光旦，仍是西装革履一副绅士派头，跟在他身边的歙县县长秘书忙不迭地解释，由于他们来得太迟，寻访到的这最后一家旅社也容纳不下他们住宿了。潘光旦跺了跺脚：偌大一个歙县，竟然没有我们歇脚的地方。

按着那位县长秘书的建议，一行人等只得匆匆往城外去，他们还要继续驱车三十公里前往有"小上海"之称的屯溪，那里或可为他们提供下榻之所。这是公元1934年4月1日的夜晚，在几乎没有灯火的歙县街道上深一脚浅一脚地走着，或许是因为"倒春寒"的缘故，迎面一阵风扬起尘灰让他们感受到一股深深的寒意。回望夜幕中孤零零矗立着牌坊的石柱和鼓楼飞翘的屋檐，郁达夫很费解声名在外的徽州府治所在地歙县为何如此的这般冷清？

郁达夫或许不太了解歙县经历过的那场劫难，尽管那场劫难已过去大半个世纪，但所受的创伤远没有复原，甚至对今天的歙县人而言，仍能感受到那股锥心的痛。这场劫难就是发生在清朝咸丰、同治年间的太平天国运动。徽州文献中有的记载为"洪杨之乱"，民间至今仍把太平军称作"长毛贼"。

　　徽州处于皖南的崇山峻岭之中，这里的人一度天真地认为此地
"世乱则洞壑、溪山之险，亦足以自保，水旱、兵戈所不能害"。
事实上从东汉末年中原世家大族为躲避频繁的战争而移民徽州开始，
唐末五代以及两宋之际，都有大批的中原官员、士绅和平民，为了
寻找一方安稳之地，携家挈口，跋山涉水，不远万里，向着徽州而来。
正是由于这些拥有当时最为先进知识文化的群休的融入，徽州经济
社会发展才具备强大而又不竭的动力。明初徽州商帮崛起后，源源
不断"捐资故里"使得徽州本土的精神面貌日新月异，这样的兴旺
景象一直持续到太平天国战争之前。清末宣统年间的徽州知府刘汝
骥在其官箴书《陶甓公牍》中深情地回忆："嘉庆、道光之间，人

　　※ 歙县太平桥

文极盛，故诗酒之宴，往来无虚日，琴书千里，鸡黍一樽，题名碧落之间，寄兴青泥之上，其见于文集者，犹令人向往，深之其民间亦复饮蜡，祈年吹豳，上寿春酒年羹，熙熙然有承平象焉。"清朝同治辛未进士、历任福建归化、福清知县及汀州知府黄崇惺的家乡潭渡村，歙县县城西向七八里，依傍在丰乐河畔，在黄崇惺的笔下，潭渡曾经是富饶而平和的："风俗之粹美、室庐之精丽，皆他族所罕俪。"而他的同乡、近现代著名画家黄宾虹也一直对遭受兵燹之前的家乡魂牵梦萦："灵秀钟毓，士庶彬彬，故家遗俗，多敦仁宽厚，躬行节俭，而淡泊于荣利，相安耕读，恒不坠家风。"

绵延徽州千百年的这份宁静和美好，因 1851 年太平天国运动的爆发而被彻底打破。战争初期，行贾四方的徽州人依旧以为家乡是可以免遭兵燹的洞天福地，"恐遭劫数"，纷纷"囊金返乡"。咸丰三年（1853 年）春二月，太平军攻占安徽省会安庆后，又连续攻占沿江诸县，与徽州接邻的池州、宁国和江西饶州等地纷纷传来太平军袭扰的消息。亲身经历这次变故的黄崇惺在《凤山笔记》中说："而人士习于承平日久，不知兵革之事，闻贼踪日近，皆愕眙不知所何为。"1854 年 2 月 26 日，太平军从祁门攻入徽州。徽州人恍然发现虽然境内四面皆山，但不能处处设守，同时村落棋布山谷间，无堡塞之固，太平军奔袭来往犹入无人之境。1855 年农历二月，太平军首次攻占歙县县城。次年三月，石达开率领西征军一部，自江西乐平来徽州，经歙县西溪南、潜口、杨村，转道许村，翻箬岭，去太平。所经之地，村落百姓皆遭荼毒。咸丰十年（1860年）八月二十四日，再次占领歙县县城。在长达十二年的太平天国战争中，徽州境内竟有十年作了双方鏖战的主战场。太平军袭来时，百姓"壮者不能挈其家，老者不能顾其子，其奔窜山岭，惟畏贼至，其后则寒饿困殆，求一饱而不可得，不复奔窜，亦不知贼之可畏也"。太平军退走后，"残黎喘息仅属者，昼则缘伏荒畦废圃之间，撷野菜以为食，夜则偎枕颓垣败壁之中，就土田以眠，昔时温饱之家，大半皆成饿殍"。在《凤山笔记》里，黄崇惺这样描述劫难后的潭渡村："里人之丧于疾疫与枯饿者，白骨相望，不得棺木以葬；里门八角亭毁于战火，祠庙之仅存者多为漏水腐烂或虫蛀，亭馆林木被砍作柴薪，万金之宅被毁而卖之仅易数石之粟，荆榛塞于街衢，颓垣断壁，过者为之揣栗。"

歙县战后的休养生息经历了一个极其漫长的过程，由于战争中的刀剑以及战后的瘟疫和饥馑，导致"十室九空"，"男丁百无一二"，战前道光年间歙县造报户口实数为61万余人，经历咸同兵燹灾难后仅有人口30万。战争初始从各地携带回乡的财富和经商资本也早已在十年的混战中被搜刮劫掠一空。在黄崇惺眼里，人物凋耗，土田荒芜，百里炊烟断绝。届春耕之期，民间农器毁弃殆尽，耕牛百无一存，谷豆杂粮种子无从购觅。这样的情形一直持续到二十世纪初。潭渡黄姓兴旺时，在丰堨一带置有义田数百亩，是宗族内重要资产来源，然而在战争中遭受重大毁损。"兵资以来，岁入之谷，尚不足以供祀事，而丰堨义田，废弃益甚，族众聚议，束手无策"。堨圳倾塞，导致田亩荒芜。光绪二十六年（1900 年），受知县许崇贵的委荐，蜷居故里的黄宾虹负责筹款重修，兼董堨务，昼夜经营，不辞劳瘁。在复苏经济的同时，困扰当局的还有因赌博和吸食鸦片引发的社会治安问题，"今四民皆困穷孜孜谋利之不暇。其劣者又惟嗜赌嗜烟，终日群居"。这应当就是当时社会人文环境的真实写照。

※ 歙南徽杭交界处——昱岭关

难怪在郁达夫眼里，歙县县城就像一个重病初愈的人：气若游丝，了无生气。

但就在这天的下午，郁达夫却看见歙县南乡巉岏古怪的砂石岩峰，清澈见底的山泉溪水，散点在杂花绿树间的三五人家，感受到几分初春的气息，他在《出昱岭关记》中写道："从车窗外望过去，一条同银线似的长蛇小道，在对岸时而上山，时而落谷，时而过一座小桥，时而入一个亭子，隐而复现，断而再连，还有成群的驴马，肩驮着农产商品，在代替着沙漠里的骆驼，尽在这一线的路上走，……要令人想起小时候见过的钟馗送妹图或长江行旅图来。"

郁达夫看见的这条长蛇似的小道，就是徽州人行走了千年的通往杭州的道路。民国初年的时候，有个叫吴日法的歙县人，对家乡的交通状况忧心忡忡："惟吾徽道途梗阻，交通乏便。……吾徽之陆路旅行者，东则有大鄣山之固，西则有浙岭之塞，北则有黄山之隘，由水路旅行者，则东涉浙江，滩险三百六，西通彭蠡，滩险八十有四。跋涉山川，靡费金钱。旅之往来，殊非易事。"杭州与徽州关系密切，它不仅是徽州人外出经商的主要通道之一，也是徽州腹地布匹、食盐等生活用品的主要来源地。而去杭州，除了扬帆新安江，经受"一滩复一滩，一滩高十丈"的颠簸之苦外，就只能行走郁达夫眼中的那条小道了，"陆行则南出，历昌化、于潜、临安、余杭，为三百六十里",而在徽州境内,路道尤为险绝,常上倚悬崖,下临深溪,有的路段"仅一线往来,势难飞越,巨商大贾,每归途经此,靡不惊心动魄"。

而郁达夫这次却是沿着半年前刚建成的杭徽公路坐车而来,按照郁达夫的话说,他们此番来歙县的目的,是因为东南五省交通周览会的邀请,打算去白岳看一看风景。但事实上他们还担负着另一项任务,就是宣传推介新建成的杭徽公路。1933年11月出版的《杭徽公路通车纪念刊》记载,这条公路由当时的全国经济委员会会同浙皖两省当局,从1932年4月起,经多次勘测,始定路线,又因该

※ 郁达夫笔下的中国"瑞士"——清凉峰下三阳人家

路"山岭重叠，工程至为艰巨"，故经过一年多的努力，始告建成。而邀请郁达夫、林语堂等作家名流游览公路沿线，目的是希望通过他们的宣传，"唤起各界民众认识公路汽车运输与工业、商业、农业和城乡文化有极其密切的促进关系"，认识到"公路之建筑，即所以求畅利交通，发展经济，启发民智，以实现公路救国的重大意义"。杭徽公路建成的次年，芜（湖）屯（溪）公路也建成通车，歙县东向和北向的大门相继打开，现代文明之风开始拂荡着这块古老的土地。

就在郁达夫转身后不久，油菜花就盛开在歙县村落人家的屋后山坡，门前田野，这里的春天美得恣肆，甚至有些张扬。如果郁达夫迟来些时日，或许他笔下的歙县就不会那么冷清了。

徽商妇

前些年有部名叫《徽州女人》的黄梅戏红遍大江南北，并一举获得中国戏剧最高奖——梅花奖。在受到热捧的同时，也有批评者指出，轻盈活泼的黄梅戏花腔与徽州厚重的文化氛围显得不尽协调，况

※ 对话——徽南长标

且徽州女人的称呼过于宽泛，戏剧故事在道地的徽州人看来总有些意犹未尽。在明清时期的徽州，的确有那么一群娇小柔弱的徽州女人，她们虽居于群山环绕的"四塞之地"，却个个具有较高的人文素质，他们以牺牲全部的身心为代价，为行贾四方的丈夫提供坚实的后勤保障。因为她们，才有了家族的繁衍和兴旺，才有了徽商雄峙宇内

三百年，才有了徽州文化绚丽璀璨至今芬芳依旧。她们才是真正的徽州之魂。

她们的名字叫作徽商妇。

徽州作为程朱故里，儒学观念及儒家礼仪流传甚广。这里的人说："我新安为朱子桑梓之邦，则宜读朱子之书，服朱子之教，秉朱子之礼，以邹鲁之风自持而以邹鲁之风传若子孙也。"生长在徽州天井里的女人们，自幼熟读《女四书》《女儿经》《女戒》等宣扬尊儒重道的读物，"三从四德""三纲五常"成为他们一生的精神支柱和行动指南，这也为她们从容地应对今后人生的苦难做好了铺垫。

※艰辛的留守——歙南长标

"吾徽居万山之中，峰峦掩映，川谷崎岖，山多而地少"，因"所产之食料，不足供徽居之人口"，"牵牛车远服贾"从被情势所逼而渐渐蔚然成俗。徽州女人们对丈夫外出经商非但不反对，还大多持鼓励的态度。明朝徽州著名文人汪道昆的祖母，不仅劝世代在家务农的祖父外出经商，还主动为他筹措资本。清朝有个歙县人叫汪富英，成家后日子过得很艰难，妻子劝他外出做生意，却苦于没有本钱。妻子变卖了所有的嫁妆，资助他走向山外。类似的事例在当时的徽州十分常见。歙县《许氏族谱》中曾提到一个叫许东井的人："东井微时，未尝治贾业，孺人脱发簪珥服麻积以为斧资。"

"邑俗重商。商必远出，出恒数载一归，亦时有久客不归者。新婚之别，习以为常"。"一世夫妻三年半"，聚少离多是徽商家庭的常态，都说"商人重利轻别离"，有几人能理解徽州人那种被生存所迫的无奈？在今天歙县南乡一代，还流传着一首《十送郎》，描述的是新婚不久的妻子送别即将外出经商的丈夫，极其缠绵哀怨：

"一送郎，送到枕头边，拍拍枕头睡睡添；

二送郎，送到床面前，拍拍床沿坐坐添；

三送郎，送到槛闼边，开开槛闼看看天，有风有雨快点落，留我的郎哥歇夜添；

……

十送郎……"

留恋归留恋，大门外同行的乡党已在声声催促，村口码头上那条即将远行的乌篷船已扬起了白帆。眼看着那个昨晚共枕的人消失在山的那边,整颗心连同眼前整座宅院一样显得空落落的,悄然抹去脸颊上的两行清泪,转过身去重又收拾起手中的活计,用瘦弱的肩膀独自承担起整个家庭的重担。

"欲识金银气,多从黄白游"。在外人看来,徽州是个极其繁华富庶的地方。但清朝徽州学者赵吉士清楚地知道,虽然徽州山水之美甲于天下,理学和文章都称雄于世。但富裕的都是居住在扬州、苏州、松江那些繁华都会中的徽商大贾,他们与徽州本土并无多大关系。正是因为这些人的富名远播在外,在一定程度上还拖累了乡穷壤僻的徽州本土。实际上,徽州土地贫瘠,治生相当困难,徽州人的日常生活极为俭啬,女人犹称能俭,数月不沾鱼肉,实不足以当"金银气"那样的虚名。康熙年间出版的《徽州府志·风俗》中指出:

徽之山大抵居十之五,民鲜田畴,以货殖为恒。……贾之名擅海内,然其家居也,为俭啬而务畜积,贫者日再食,富者三食,食惟粥,客至不为黍,家不畜乘马,不畜鹅鹜,其啬日日以甚,不及姑苏、云间诸郡。

明万历二十六年(1598年)十月九日,著名诗人谢肇淛在徽州士商潘之恒等人的陪同下,畅游徽州,沿途所见,大大出乎他的意料,

※ 盼归图——皖南长标

他写道：

　　纤啬异他乡，能无足稻粱。家家村酒白，处处薄糜香。竹柱商人宅，芒鞋少妇妆。鱼盐多别业，经岁在维扬。

　　意思是说徽州村落里的人家生活十分俭朴。即便是在淮扬做盐业生意的商人之家，有的也用竹子作梁柱，在家的妻子穿的是草鞋。

　　由于将家庭资金都用在丈夫外出经商上了，留守在家的徽商妇只能从事纺棉、采茶等一些体力劳动维持生计。徽州植棉和养蚕历史悠久，文献里记载徽商妇"日挫针治缝纫绽，黟祁之俗织木棉，同巷夜从相纺织，女工一月得四十五日"。清代孙学治也在《黟山竹枝词》里说："北庄岭下女绩麻，西武岭边女纺花，花布御冬麻度夏，有无相易各成家。"春夏秋冬，阴晴雨雪，村落巷弄纺织声遥相呼应，昼夜不息。

茶叶是徽州本土千百年来重要的经济支柱之一。几阵春风拂过，几场春雨潇潇，南山坡上茶园齐刷刷地泛绿，茶农们的心便焦躁起来——茶叶一日日长大，价值也就一日日贬低。这时节每日里晨曦微露，举着火把背着干粮走向各家茶园的人们不绝于途。大白天村落异常的安静，一只老母鸡"咯咯"地招呼着毛茸茸的雏儿刨土觅食。山坡上鸟雀啾鸣的茶园里，刚趔趄学步的幼童，步履蹒跚的翁妪，头戴草帽，身披蓑衣，都在新绿的茶树前紧张地忙碌，还有"多少归宁红袖女，也随阿母摘新茶"。到了午夜，炒茶的炉火红透村落，揉制茶叶溢出的茶香氤氲不散。独立完成一季茶事之后，徽商妇们便如被采摘过的茶枝般神情枯槁。

※ 生计

孝事公姑，和处妯

娌。作为家庭主妇，总有操劳不完的事务。就像许楚在《新安妇》中描写的那样："新安妇，莫寒素，六月挈麻丝，三冬曳群布，峨眉二十吟白头，孤灯夜夜关山路"，而最为重大的家务，莫过于对子女的教育和训导。

在徽州，子女读书上进、登堂入仕是父母最大的心愿。清朝有个黟县人叫胡方墉，她的母亲吴孺人在他很小的时候就让破蒙读书，白天在私塾跟随老师，晚上则叫他拿了本书站在自己纺车的旁边，边织布边听他诵读。"总角时，昼则就外傅。归则使执书从己读，宵分课不辍，读书声、纺织声相间也"。严格监督之余，母亲还谆谆教导儿子读书的方法："儿之学如我之织，勤则精，熟则巧，毋有间断心。引伸之，欲其长，毋生卤莽心；经纬之，欲其密。"歙县巨商鲍志道回忆幼年时"夜诵所读书必精熟，母色喜，然后敢卧"。鲍志道感叹"吾兹服贾充饶，何一非母之教"，意思是说，我能经商赚钱，没有一项技能不是母亲所教的。一旦读书无成，做母亲的常常毫不犹豫地劝导儿子把外出经商作为立身之本。汪道昆在《太函集》里讲到洪承章在母亲的劝说下外出经商的故事，"处士奉母欢，母命处士商吴越，迭出迭困，亡故资，吴（夫人）乃脱簪珥佐之"。

白天的喧哗渐渐归于沉寂，检查了鸡笼猪舍，紧闭了大门窗户，

※ 花雕木床（歙南定潭村）

便只有天边月与独坐在惨白烛影里的徽商妇相偎相依了。月黑风高，月朗星疏，月缺又月圆，多少良辰美景逝若流水，多少花容月貌黯然凋零。"健妇持家身作客，黑头直到白头回，儿孙长大不相识，反问老翁何处来"。徽商归来时，尽管儿孙已长大不相识，尽管妇人已人老珠黄，沉沉暮年，至少也能算得上是一幕悲喜剧，新婚出门后终身不归者，也并不少见。清朝歙县有个汪于鼎是诗人，他有个邻居，娶妻一个月就外出经商，妻子在家靠刺绣为生，每一年用积蓄购买一颗珠子，用彩丝串起，称作"纪岁珠"。丈夫回家的时候，妻子已去世三年了。丈夫在整理妻子遗物时无意间碰翻装珠的盒子，珠子滚落一地，一数竟有二十余颗。汪于鼎以《纪岁珠》为题作诗云：

"鸳鸯鸂鶒凫雁鸰，柔荑惯绣双双逐。几度抛针背人苦。一岁眼泪成一珠，莫爱珠多眼易枯。小时绣得合欢被，线断重缘结未解，珠累累，天涯归未归？"

　　徽州多牌坊。树牌坊为的是"旌表德行，承沐后恩，流芳百世"，那些占据着大路或是村口的堂皇闳丽、气势恢宏的功德坊、科第坊，至今仍在气宇轩昂地叙说着它曾拥有的显赫功名和曾沐浴过的浩荡恩荣，但人们总是向那些苍凉冷峻、卑微地独处一隅的贞节牌坊投去更多的目光。因为人们知道，这块土地上的每一座牌坊，都是那些把名字镌刻在贞节牌坊上的徽商妇们用泪珠砌成的。

※ 节妇坊

两个手艺人的别样人生

　　树棠和树元，是同一个曾祖父、同居一幢老屋的堂兄弟，和我外公算是同辈，如果能活到今天的话，都是一百多岁的人了。

　　歙县南乡，山峭水激，田地贫瘦。如果将那蜿蜒的山路比作藤蔓的话，那些村落就像一枚枚苦瓜，散落在溪谷之侧，青山之巅。都说"前世不修，生在徽州，十三四岁，往外一丢"，外乡人出门，大多是为学做生意，南乡人难有经商的本钱，只能靠学成一门手艺奔走四方作为安身立命之本。家有儿郎初长成，父母就辗转托人到手艺精湛、品行端庄者门上，恳求其收少年为徒弟。为师者一般作矜持之态，常以各种理由推辞，唯见到少年面相和善，禀赋聪颖，方勉强应承下来。古时收徒，还要找中人作保，立文书载明生死无常，各安天命，学徒三年内听凭师傅训斥打骂，父母概不过问。南乡人常说学得成手艺的人，吃得下世界上万般的苦。工匠师傅带徒弟，很难停下自己忙乎的活对徒弟进行指点，因为东家是按人头点工的，师傅带了徒弟就意味着要完成两个人的工作量，徒弟学艺只能靠自己眼亮心细耐心揣摩，而稍有走神忘形，脾气急躁的师傅就会把手中的工具劈头盖脸砸过来。徒弟心中有多大的委屈，只能趁师傅不在意时悄悄转过脸去抹泪。收了工后，徒弟须礼师傅师娘如自家父母，端茶倒水，洗衣做饭，丝毫不敢懈怠。如此寒暑三易，徒弟羽翼渐丰，方才苦尽甘来。摆过"谢师宴"之后，徒弟便靠自己的"一招鲜"去"吃遍天"了。但师傅家的门是不能忘的，每年"三时三节"，徒弟仍会提了果子包和猪肉、面条，来师傅家叙师徒之情谊。否则任凭你手艺多好，也会以"数典忘祖"遭人诟病。

※ 皖南的人们依山而居

※ 歙南竹匠师傅

　　树棠十岁那年，流着鼻涕趿拉着半截布鞋进了他师傅施惠的家。他多病的母亲让他拜施惠为师，是觉得他太小而施惠为人和气，但她不知道施惠有个最大的毛病，就是喜欢把自己的那点砖雕技艺藏着掖着。因此树棠跟在他身后整整三年，觉得自己一无所能，这个时候的树棠已有几分主见，编了个理由离开施惠，投奔到五十里外的砖雕师傅根桂门下，重又扎扎实实做了三年的徒弟。村里人谈及树棠的学艺经历，无不唏嘘感慨。

　　相比之下，树元则幸福得多。他父亲以制作佛香为生，很小的时候父亲就带着他去深渡卖佛香。深渡是离村五十里新安江边重要水陆码头，也是整个歙县南乡的商品集散地，各地贾客鳞集骈至，各式旗幡迎风招展。树元每次从深渡回来，不仅带回村里人从未见过的各式精美糕点，还有成摞的《三国演义》《封神榜》之类的连环画。农闲时或阴雨天，树元家就成了村中老幼们谈天说地的场所。少年树元跟在父亲身后，在耳濡目染中不知不觉地学会了制作佛香的手艺。

佛香是那个时代的家庭必备品。逢年过节或遇到红白喜事，点燃几炷佛香，袅袅飘升的香烟是信使，是纽带，现实中遭受种种委屈可以通过它尽情向逝去的亲人们倾诉，而一切苦厄的消除，美梦的实现，人们总希望通过它请求冥冥之中主宰们的佑护。因此佛香在人们眼里总有几分神秘。而树元做佛香的手艺，至今在村里仍是一个个近乎神奇的传说。人们说他与人座谈时，边聊天边用手中的刀剖香棒，那刀长约两寸，而锋利处仅指甲般大小，谈笑间剖出的香棒细如发丝，却长短均匀如一，两端都呈正方形，村里人说整个南乡都没有这样高超的手艺。佛香上沾着的香料，是将山上一种叫"香树"的叶子采来晒干后，掺入松树的皮，一同碾压碎至粉状。这是一个非常费时费力的活，树元小时候跟着他父亲脚踏石臼，母亲在石臼旁一遍遍用竹筛筛着香粉，一天下来，全家人骨头都累散了架。到树元当家，他先在村后山谷里找了一条湍急的溪流，在上方筑坝栏水，水流通过竹笕冲向下方的水桶，水桶挂在杵头的踏板上，随

※（绩溪胡村）徽州门罩

着水桶往下沉杵头越往上抬，水桶里的水过半时倾斜而出，杵头就砸向石臼，如此反复，省却不少人力。后来他在村前那条宽阔的河流上筑了堨坝，砌了水渠，建了水碓，自己动手在水碓里置办了臼、碾、磨、筛等器具，秋冬季用来为村民加磨小麦、苞芦，春夏时村民都在山上忙碌，树元独自在幽暗的水碓里，在水车旋转吱吱嘎嘎声中，从容地冶磨着自家的香料。

树元做的佛香，条形雅致，点燃后有股让人安宁的香味，且绝不会半途熄灭，在方圆百里有着很好的口碑。村里人认为树元肯定有秘不示人的配方，他每次配制香料时，必紧闭房门，即便是他妻子秀娥也不能在场。

树元二十岁上娶秀娥进门，秀娥肉皮细嫩白净，总是一副低眉顺眼的样子，她父亲在邻镇的街上开着一家纸扎店，有一双很精致的小脚，村里人说她是在蜜罐里长大的。次年，荷花以树棠妻子的身份也住进了同一幢老屋。荷花身板阔，嗓门大，

※ 徽州水碓（歙南昌溪村头）

干活走路风风火火，而两家新媳妇更鲜明的对比在于，秀娥进树元家三五年肚子平静依旧，而荷花就像母鸡生蛋叫唤不停。村里人由此断定，荷花比秀娥更有旺夫之相。树元听见了，也不言语，依旧每日斜披了衣服从容地穿过村子，去水碓磨他的香料。

正如村里人所说的一样，自从娶荷花进家，树棠的生意也一日好过一日。而真正令他一举成名的，是他承建了金滩某方姓人家的门楼。金滩是新安江边另一古老村落，方某自幼游贾他乡，赚得盆

盈钵满，告老还乡后，欲在故里大兴土木，万事俱备，却在建造门楼的人选上颇费踌躇。徽州俗称："三分造宅，七分建门"，门楼是房宅首面，显示这户家庭的全部对外信息，张扬着主人的社会地位和审美情趣。门楼上的横枋、月梁、垂花柱等部位，都需要繁复精妙的砖雕做装饰，耗资甚巨，且需工匠们用工一年甚至数年才能完成，因此门楼也是砖雕师傅们尽情施展才艺的平台。那位方姓富商毕竟是闯荡过江湖、经历过世面的人，经多方寻访打听，最终确定由当时尚名不见经传的树棠担纲门楼的建造。树棠带者两个徒弟在坑口夜以继日叮叮当当雕了五个整年。主门的门楼，是一组以《三国演义》内容为素材的人物组图，画面上武将提枪跃马，精神抖擞，文官羽扇纶巾，神态优雅，侧门门楼则以檀板、葫芦等"暗八仙"为题材，四围饰以卷草祥云。华厦竣工之日，前来贺喜的宾客对门楼上雕绘指指点点，赞誉有加，方姓富商觉得脸上大放光彩，当即决定重赏树棠大洋一百块，并让他披红挂绿骑着毛驴在村中游行，树棠从此在南乡名气大增。多年后荷花在与人闲聊时说起，单是坑口这户人家的两幅门楼，树棠挣了一升金子的工钱。

转眼间到了 1949 年，这一年村里的年景稀松平常。包括树棠和树元在内的所有村里人压根想不到的是，这一年会成为很多人命运悄然变化的分水岭。

这一年新中国成立，这个满目疮痍的国家百废待兴。不久地区成立建筑公司，此时在圈内已名气显赫的树棠自然被延揽入内。两年后因手艺出众，又被调往省建筑公司，成为村里第一个"吃公家饭"的人。这时村里各种新气象也不断涌现，成立生产合作社时树元慷慨地捐出了自家的水碓，受到了政府的表彰。正当树元满心欢喜地憧憬着新生活的到来时，一日有个干部模样的上门来，告知树元佛香是迷信用品，今后不得继续制作。树元有些茫然，打算写封信去问问那位"吃公家饭"的自家兄弟，但被秀娥制止了，她是一个最不愿意麻烦别人的人。然而事态并未就此平息，不久又有人宣布树元是"宣扬封建迷信"的坏分子，并对他的家进行查抄。这个自古以来连小偷小摸都少见的小山村，竟然出现个坏分子，而且还是平日里和和气气的树元，让大家很是愕然，从树元家并没抄出稀奇之物，只是几百块白花花的大洋，着实令树元羞愧、村民们艳羡了好一阵子。树元"坏分子"的身份从此被固定下来，大队的公用厕所和村中道路的清扫自然也成了他们夫妻俩的任务。那时群众大会特别多，批斗游行是必不可少的环节，树元是每次被批斗对象的不二人选。阴森森的祠堂内，黑压压的人群，树元站在台前低垂着的光亮脑袋在汽油灯光下分外刺眼。现在看来，那些批斗会纯粹流于形式而丝毫未能触及村民们的思想灵魂，每次批斗大会之后，树元依旧披件衣

※ 徽南白杨的那年那月

服在村中晃来晃去，他的家也依旧是村民们空闲时胡吹海聊的场所，事实上他压根也没有停止过佛香的制作，常有老妇女趁着浓重的夜色轻轻叩开树元家的门，怀里揣了东西后悄然离去。年关将近时树元常常会"失踪"一段日子，大家都知道他走村串户偷偷卖佛香去了，彼此都心照不宣，为此身为生产队长的外公张良善受过公社干部多次的批评，但他只是笑笑，从未见他与树元红过脸。

而此刻的树棠正一步步走向他人生荣光的巅峰。1958 年 8 月，党中央决定举全国之力，建设一座能容纳万人的大会堂迎接建国十周年的到来。树棠和他八个徒弟与全国近万名能工巧匠一道紧急赶赴北京，他们领受的任务是为大会堂安徽厅创作大型砖雕作品《佛子岭水库》。佛子岭水库是新中国成立后建成的大型水库，是社会主义建设的最新成果，自然需要用新的雕刻技法进行表达，这幅作品在平日需要花费数年时间，而限定他们的工期只有十个月。那是一个激情似火的年代，树棠和徒弟们与数万建设者夜以继日地酣战在工地上。人民大会堂如期竣工后，有关部门组织评比，《佛子岭水库》以气势宏大、雕刻精微而名列雕刻类第二。颁奖当日，因祝贺者太多，树棠与他们一一握手后，手臂竟一连数日抬不起来。这些都是荷花收到丈夫来信后向村民们转述的，正当大家盼着树棠荣归故里时，或许是因为劳累过度，从北京回到合肥后他竟一病不起，不久客死他乡，被追授为"劳动模范"，算是为一生画上一个急促而响亮的句号。

20 世纪 70 年代，已略略懂事的我也常去邻居树元家听大人们聊天。到了冬天，秀娥常叫人将树元从房间搀到屋外，瘦骨嶙峋的他半躺在冬阳之下的椅子里，除一阵阵透不过气的咳嗽外，整日昏睡在自己的世界里。路过的人莫不摇摇头："老鬼怕是熬不过这个冬天了。"然而开了春，树元便如荒草返绿般有了精神，不仅能与人说笑，偶尔还上山劳作，如此情形大致持续了十余年。大概在1985 年前后，在外求学的我寒假回到家中，舅舅告诉我树元"终于"过世了，刹那间我觉得仿佛整个村子都松了口气。此后每次经过老屋时，荷花和秀娥都从虚掩的门后探出头来，荷花大声地打招呼，秀娥只是轻轻地笑一下，心里无由地默念起"白头宫女在，闲坐说

玄宗"这两句诗。又过了几年，荷花和秀娥相继离世，老屋门锁紧闭、石阶上荒草萋萋。而当我今年回家时，老屋已然不见，取而代之的是一幢很洋气的小楼。舅舅说一个外村人从早已迁居外地的荷花后人那里买下老屋，建了这座小楼。

小村记载着树棠和树元故事的那一页，就这样被时间之手轻轻地翻过去了。

一个接续徽州古道的人

车子刚在岭脚村前一家茶叶加工厂的院子里停稳，一行人等陆续下车，鲍义来先生就骑着一辆旧电瓶车进了院里。先生头发花白，浑如村民打扮，让人很难将他与安徽日报高级编辑、一个在徽学研究领域深耕多年、著述闳富的学者这样的身份联系起来。先生领我们走进岭脚村。这是 2016 年 1 月 4 日上午。

因与鲍先生的侄儿曾为同窗的缘故，30 年前我到过这个村落。眼前的屋宇敞亮气派了许多，但似乎少了几分幽雅恬静。先生家的居屋在村中的小巷里，屋外依稀当年情形，屋内近年作了整修翻新。厅堂不大，上方悬挂着"九千卷堂"匾额，几个村民模样的人在堂前端坐着安静地看书。厅堂两侧是丈余高的书橱，里面林林总总整整齐齐地码放着鲍先生的著作、为他人编辑的文集和刊发有鲍

※ 徽杭古道——绩溪境内

先生作品的各类学术期刊。鲍先生著述等身，但更令人感佩的是，他几乎用了毕生的精力，致力于乡邦文化的捡拾、呵护和传扬。他从 1987 年起担任安徽省徽州学学会秘书长，又与汪世清等现当代徽州名流耆宿交谊深厚。汪老生前是中央教育科学研究所资深研究员，很早就涉足新安画派尤其是对渐江、汪采白的研究，并取得独到成就。他将一生的业余时间都用于徽州文化的薪火相传，长年累月在北京国家图书馆、北大、北师大图书馆等国内外著名图书文献收藏机构查阅、抄写、收集各种徽州文献资料。对前来求教者倾其所学毫无保留，他与中外学人的通信，大多本身就是一篇篇见解独到的徽学研究论文。鲍先生早年因向汪老讨教或切磋徽学问题而一直保持鸿雁往来,又因热心帮助汪老及其他部门举办汪采白画展、编印出版《汪采白画册》《汪采白诗画录》等事务,其严谨、细致的行事风格深得汪老的钦佩和感激,称"存殁不忘"。汪老将其珍藏多年与汪孝文、罗长铭等著名学者的来往信札悉数交付鲍先生,鲍先生将其汇编成《汪世清书简》公开出版;并与他人合作,按信札中所涉的徽文化内容分门别类予以归纳梳理,整理出版了43万字的《汪世清谈徽州文化》。汪老去世后,在鲍先生牵线搭桥下,黄山学院图书资料中心设立"汪世清先生捐赠特藏"书室,以珍藏汪老生前与国内外亲友、学者的来往信件及收集、整理的徽文化研究图书资料,既使汪老毕生的心血拥有一个完美的归宿,也为后世的徽州文化研究者留下了一座用之不竭的宝藏。

曹度,歙县望族雄村曹氏之后,其父曹靖陶民国时期以诗文著称于金陵苏沪间,与梁启超等名流

※ 歙南雄村村中古道

交游甚密。曹度解放初毕业于浙江英士大学，参加解放军后分配到人民海军报担任记者，不久因政治运动而罹祸，以右派身份被遣送回原籍歙县，参加农业生产二十余年，直到粉碎"四人帮"后才被调回省城担任《清明》《安徽文学》杂志编辑。曹度虽诗文满腹，却因颠沛流离的命运和长年孑然一身的生活环境导致性格疏懒散漫，诗作随写随弃，多半处于散佚状态。鲍先生对这位乡贤在敬重之外更有几分怜惜，常于周末邀其来家小酌，趁着酒兴帮助其回忆曾写过的诗和书画跋语，并随手予以记录，并循线索多方搜罗抄录曹度刊发的旧作，结集《曹度诗文录》刊印问世。

鲍先生曾带我去看他孩提时候走过的古道。

岭脚村背倚大山。拾盘旋于茶园里的石板路而上，至两山交合形成的山坳，四面青山合围，俯瞰茶园坡地，小河炊烟人家，远眺昱岭关雄踞于那山之间。鲍先生称此地唤作老竹岭，脚下的道路至少在宋朝以前就已开通，千百年来一直是徽州人行旅江浙沪最为主要的陆路通道，是一条真正意义上的徽杭古道。

徽杭古道三百六十里，其中最为险绝的当属我们眼前的从老竹岭到昱岭关这数公里。明朝万历年间，有个叫李日华的人经过此地，

※ 归途

他在日记中写道："上老竹岭，……山势两背相抵，曲涧蛇行其间，万杉森森，四望疑无出窦，而竹岭稍通一线，亦半假人力凿治，真一夫当关之胜也。"由于地势险要，历代昱岭关和老竹岭都驻兵防寇。1934 年春天，文学家郁达夫、林语堂等坐车沿着刚建好的杭徽公路前往徽州游玩，刚出昱岭关，公路对面的古道让郁达夫叹为"绝景"："从公路上的车窗望过去，一条银线似的长蛇小道，在对岸时而上山，时而落谷，时而过一条小桥，时而入一个亭子，隐而复现，断而再连。"

千百年的光阴使古道尘积了厚重的文化。民国出版的《歙县志》记载，当年岳飞率兵经过老竹岭，曾安营扎寨，掘石得泉，色白，

※一条古道承载多少记忆

居民为纪念这位民族英雄，筑台石上，泉自下流，因名"岳王泉台"。《水浒传》中卢俊义大战昱岭关的故事家喻户晓。明初以降，随着徽州人外出经商的习气日益浓厚，古道上行旅者日渐络绎不绝。然而这里上倚悬崖，下临深溪，行人经此，"靡不惊心动魄"。为纾解来往行旅者攀缘奔波之苦，明代隆庆年间，有个叫比丘大方的和尚，结庵于老竹岭上，并建茶亭于路旁供人歇息并施以茶水。大方和尚创制的茶叶外形宽大扁平，汤色清澈微黄，茶香浓烈爽口。大方和尚圆寂后，老竹岭上无偿施茶的习俗一直传续，茶亭也屡废屡修，如今依旧静默在两棵蓊郁的银杏树的浓荫之下。而那位和尚创制的老竹大方茶，作为我国传统名茶之一，仍在大江南北爱茶者的案台上芳香馥郁，氤氲袅袅。

古道更承载着鲍先生浓浓的乡愁。老竹岭下那个叫岭脚的村子古时称作笃麓，由于看中来往不绝的人流带来巨大的商机，明正德年间，鲍姓人家由歙县西乡槐塘迁往此地，经营旅舍和酒肆。明代学者李日华路经笃麓村时，不仅看见沿途红媚可人的秋海棠，还品尝了鲍家酒肆里滋味醇美的酒。孩提时代，鲍先生与乡亲趁着天色熹微攀上古道，在鸟雀啾鸣、晨雾飘荡的茶园里开始了一天紧张的劳作。秋风里银杏树叶如黄蝴蝶般飘落，鲍先生与小伙伴燃起篝火烤食那树上落下的果子，那股焦香至今想来仍齿颊生津。夕阳西下，远眺沉浸在鹅黄色光辉之中的群山，鲍先生和他的同伴们憧憬着那山之外的世界。少年后负笈远行，后又因工作寄寓四方，老竹岭下的炊烟人家便是鲍先生站在窗前隔着千里的遥望，是夜半醒来后的辗转反侧。而每一次匆匆的回归之后，思恋却更加浓烈绵长。2009 年，退休后的鲍先生回到岭脚村，住在闲置多年的祖屋之中。尽管斗转星移，村落里物是人非，但鲍先生仍能感受到那种久违了的恬淡和安宁。

　　但多少年来鲍先生一直魂牵梦绕的村后那条古道，尤其是老竹岭往昱岭关路段，因 21 世纪初徽杭高速公路的建设和通行，多半已被损毁，残余部分也因多年废弃，不复当年模样。

1900 年，为躲避纷乱时局而蜷居家乡歙县潭渡村的黄宾虹，见族中几百亩义田因太平天国战乱导致堨圳失修无法耕种，毅然决然地承担起筹款重修堨圳的义务。是年冬和次年春，他"风餐露息，作辍不时"，终致"自木石各坝竣工，大小各圳疏通之后，本年霖雨充足，水道流通，堨田大稔"。黄宾虹用一年的艰辛帮助族中困苦者走出衣食匮乏的窘境，为此还得到了县政府的嘉奖。1934 年，徽州大旱，经年颗粒无收，从甘肃省政府秘书长卸任，赋闲在故里歙县唐模村已近十年的许承尧心急如焚，他不顾近六旬的高龄亲赴上海徽州旅沪同乡会筹得善款后，采取以工代赈的形式，组织村民对村前始建于清初的水口园林进行

※ 徽南三阳山居图

整修，村民们得以安度灾年，而那座荒芜多年的徽州著名园林檀干园也得以重焕生机。在古徽州，历朝历代都有那么一群人，年轻时宦游他乡，以报效国家为己任；叶落归根后，则以自己较高的文化素养，宦游的阅历和视野，教化一方，泽被乡里。

安居故乡后，鲍先生渐渐萌发了把村后那条徽杭古道接续起来的想法，这个想法也得到了村中几位长者的积极响应。于是阴雨日子，农闲时节，古道上渐渐多了忙碌的人，他们挥刀砍劈丛生的荆棘，刨去厚厚的泥土让古道上的青石板重见天日，在已大半坍塌的茶亭四周搭起脚手架。鲍先生厕身其间，浑然忘我。

鲍先生的举动引起了他夫人胡老师的担忧。尽管她并不反对先生修复古道的想法，但她认为这把年纪的鲍先生不必在工地上亲力亲为，况且鲍先生在徽学研究领域深耕多年，对渐江、黄宾虹等的研究见解独到，资料翔实。胡老师希望他能有更多的时间坐在合肥家中那间窗明几净的书房里，尽快完成各家出版社约的书稿。

接续古道旷日持久，耗资甚巨，还不免与各方有利益上的牵扯。鲍先生求助当地乡镇，一些官员鉴于鲍先生的声望，起初笑脸逢迎，日久便虚与委蛇，他们私下里断定，古道废弃已久面目全非，维修古道纯属浪费人力物力，根本不会带来任何经济效益。

然而更令鲍先生时时感到惆怅的是岭脚村的空气里曾经洋溢着

的那份恬淡和平和的气息正一日日淡去。山核桃是岭脚村一带的特产，也是村民收入来源之一。古道中的一段，两侧是集体山林，原本林木葱郁，溪水飞溅。近年来村民们为追逐山核桃带来的收益，随意砍伐自然林以种植山核桃树，一片青山满目疮痍。政府屡发禁令，村民置若罔闻，鲍先生前往劝阻却也招来责怪。个别村民见利忘义，古道旁刚清理出巴掌大一块地，一转身，就被人种下一把油菜，或是几株玉米。

　　但这些显然都没有阻拦鲍先生坚定而又匆忙的脚步。寒去春来，在鲍先生和村民们栉风沐雨的劳作下，原本已神情枯槁的古道日渐神采飞扬。昱岭关下，宽阔又洁净的石板路两侧，浓荫匝地的桂花树正默默蓄积着芳香，那个传说中的岳王泉台下，清泉汩汩流淌。横跨溪流之上的廊桥已经落成，几个村民正在给梁柱刷漆。而在老竹岭头整修一新的茶亭里，似乎还能看见那一袭破旧袈裟的大方和尚正躬身向路人施以茶水。鲍先生相信，那些遗失在半途的传统文化，会循着接续起来的古道款款而来，宛如春风阵阵，使这个古老的村落枝叶复苏，欣欣向荣。

一种传统技艺的现代演绎

　　吴正辉益发固执地认为，他此生肩负着上天赋予的传承和演绎徽州砖雕的使命。仿佛从来到这个世界的那天起，冥冥之中有一双手指引着他脚步坚定地走向这项古老而又辉煌的民间技艺。歙县

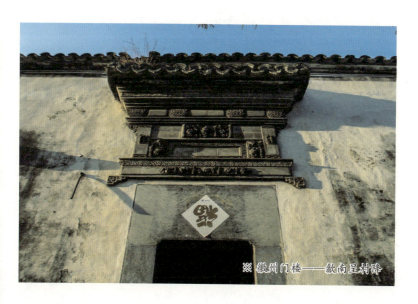

　　※ 徽州门楼——歙南呈村降

南乡那个叫北岸的村子，曲折小巷中充斥着两旁幽深的宅院里透露出的古旧的气味。那些有着各式雕饰的门楼或光亮或阴郁，成为吴正辉有关童年的记忆中最为真切的部分。20世纪80年代歙县北岸中学姚观友老师以擅长木刻闻名遐迩，他从一大摞美术作业中认识了线条特别流畅的吴正辉。姚老师骑自行车载着吴同学去十五里外的萌坑村写生。夜深校园一片沉寂的时候，教师宿舍东头的那间灯光依旧灿亮，姚老师悉心指导吴同学用方口刀和圆形刀在平滑的枣木上推刻、挑刻，使线条和色块更有金石的韵味和木纹的质感，以更好地体现山影的丰满密集和村庄的萧疏简淡。在姚老师的极力鼓动下，吴正辉考入歙县行知中学学习园林花卉专业。毕业后就职歙县古典建筑公司，恭立于方清树等人身侧，亲聆一代歙砚雕刻大师的言传心授。后受公司指派参加上海大观园工程建设。全国各地工匠一时麇集上海滩，吴正辉在接受中国传统建筑技艺洗礼的同时，更加深刻地领略到砖雕、石雕和木雕等徽派雕刻技艺在其中的独特魅力。

吴正辉把传承发展徽派砖雕技艺确定为自己毕生追求的目标，是20世纪90年代初期的事情。仿佛一夜之间，徽州老屋内的建筑构件，只要与纹饰有关，都成为商贾富绅、风雅之士们竞相搜罗庋藏的物件。吴正辉老家北岸镇为之专门修建所谓的"古玩一条街"，

※堂门额上的砖雕（皖南北岸金竹岭胡氏宗祠）

两边店面内外各式门额、雀替、斗拱、窗棂、栏板、柱础林林总总，隐隐散发着未曾褪尽的堂皇富贵之气，又透露出几分物是人非的悲凉。为了使那些历尽风雨历尽劫难的物件能有更好品相售得更高价格，常有店家拎着破损的砖雕来求吴正辉帮忙修复。尝试几次之后，吴正辉乐此不疲，干脆将家安顿在古玩街上，每日里潜心揣摩那些见方尺余、厚不及寸的砖坯上雕刻着的亭台楼阁、山水人物、花鸟虫鱼，并尽量按着原作的风格和雕刻技法进行修复，力求与原作形肖神似。徽州砖雕技艺薪火相传，吴正辉手头边那些老旧的砖雕块块繁复典雅、玲珑剔透，虽然制作的工匠未留下任何个人信息，但摩挲日久，吴正辉熟稔了每一位工匠的造型风格、刀工技法，甚至想象得出那位工匠的性情脾气、音容笑貌。每一块砖雕的修复，都是一次与先贤们神交论道、切磋技艺的过程。吴正辉的足印遍布徽州每一座古村落，静静品味夕阳中的那些半圮的老屋、庙宇和祠堂仍旧用高高矗立的门楼倔强地渲染着昔日的富贵与庄重。他四处寻访砖雕老艺人。20世纪中期砖雕工艺一度委顿，老工匠大半凋零。有次几经辗转在歙县南乡岔口镇一座深山中认识了一位方姓老人，口不能语瘫痪在床的老人将解放前曾率众徒弟建造三十多座门楼的十几把刻刀赠送给吴正辉。老人没想到的是，吴正辉把这些略带锈迹的刻刀置于案头，日日把玩，从中顿悟出旧时工匠运用的钢刀，与自己使用的钨钢刻刀锋利程度的差异，而在用刀技法上应当带来

※ 吴正辉砖雕作品《砖雕全家福》

的变化。

2014 年 8 月 12 日，在中央电视台《徽韵》剧组照明灯的注视下，吴正辉以九层镂雕这一徽派砖雕中最高层次的技法，完成了

※ 吴正辉砖雕作品《琴棋书画》

砖雕作品《全家福》的创作。省内外多家媒体竞相以《传承技艺，突破自我》《非遗传人展绝活，九层砖雕重问世》为题，欢呼这一古老技艺涅槃重生。吴正辉对此却显得比较平静。他认为，雕刻技法只是表达手段，一幅好的砖雕作品应当是主题与形式的完美融合。徽州砖雕表达主题思想在诸多砖雕流派中最为直接、鲜明。在作品题材上，尽管徽州砖雕传统题材中诠释信仰图腾的《梅兰竹菊》《琴棋书画》《吉祥八宝》，宣扬理念教化的《和靖爱梅》《卧冰求鲤》《单刀赴会》，等等，至今仍为百姓喜闻乐见，他创作的传统题材作品《七擒孟获》《赤壁夜色》《十八学士春游图》等也屡屡在全国、全省工艺美术大赛中获得金银大奖，但任何艺术，一旦远离了时代，也就丧失了生机。因此，在孜孜不倦地摸索雕刻技艺的同时，吴正

辉更加注重赋予作品以强烈的时代气息。2010 年，他创作的作品《百子贺国庆》，以遒劲流畅的刀法、清新灵动的人物造型折服观众，一举捧得第十届中国工艺美术大师精品展银奖。吴正辉敏锐地认识到，随着建筑样式和人们审美趣味的改变，除了修复古建的需要，砖雕已经从人们仰视的门罩、窗罩上的装饰，转变为日常把玩的工艺品，他与一位徽派木雕非遗传承人携手，运用徽派砖雕和木雕的元素符号，研发出一种壁挂式的工艺小品，一推上市场就受到热捧。

穿北岸镇而过的徽杭公路因为几年前高速公路的开通而日益显得冷清。老榆树下，一座悬挂着"非遗徽州砖雕传习基地"标牌的房屋内，十几位学徒模样的青年男女端坐在工作台前，一手持帚，一手持刀，神情专注。砖坯上的画卷在刀锋下渐渐明晰起来。公路对面是吴正辉的家兼作品陈列室。时值中年一脸敦厚的吴正辉正指挥几个工人用塑料泡沫、胶带和纸盒为一幅砖雕作品进行封装打包。几天之后，这幅来自古徽州的名为《喜鹊登梅》的砖雕，将成为北京某家新开张的茶馆大堂里一道亮丽风景。

深浅毛光皆徽韵

曹篁生帮我恍然开启认识徽派雕刻的大门。

此前我每每与人谈及徽派雕刻，总是以"四绝"——木雕、砖雕、石雕、竹雕概括之，话题绕不过村落里重瓦飞檐之下那残缺大半的砖雕门楼，幽暗老屋里一缕斜阳正对着梁架下脚踩着绣球的狮子，还有硕壮的梁柱底部泛着苔

※ 古徽州卓绝的木雕艺术——梁柱雀替
（歙南昌溪）

痕的覆盆莲花宝座状柱础。

曹篁生说，这些都是徽州雕刻的组成部分，显然也是最具影响力的部分，但这些雕刻为迎合大众的审美情趣，其中虽不乏精品，但总体属于民间工艺范畴。千百年来，徽州木雕、砖雕、石雕、版画、墨模等刻绘艺术相互影响，充溢了徽州文化的大气和书卷气，已经形成具有强烈徽州地域特色独树一帜的徽派雕刻艺术，其中又以文房清供的雕刻为代表。

我和曹篁生作这番交谈的时候，是在 2015 年初秋的一个上午，阳光伴着若有若无的甜香从窗外绽满了米粒般花蕾的桂花树上飘进来。这间约百来平方米的平房显然是曹篁生的会客间兼工作室，巨型根雕作的茶几上茶香袅袅，书桌和四围的橱柜里整摆地堆放着各类书籍和通红的获奖证书，杂然散落其间者，是木质或是竹质的笔筒，荷花形正合一手把玩的香盒，尺余见方的屏风。曹篁生说，这些就是文房清供。

文房清供对大多数现代人来说，已然是一个十分陌生的名词了。早在隋唐时期，随着科举制度的兴盛，文人作为一个相对独立的阶层逐步走上历史舞台，与笔墨情趣不可分离的文房用器大量出现。文人们终日盘桓于书房之中，笔耕苦读之余，或为读写便利，或为消除疲乏，陶冶性情，往往利用各种材质，自己奏刀，也有延请精通此艺者，雕刻出既能实用又能把玩的笔架、笔筒、墨床、镇纸、水盂、砚滴、印章、臂搁、香盒等文房器物，使枯燥的书斋在窗明几净、赏心悦目之外更添几分情趣。由于这些都是文人自用的小器物，雕刻时往往不急不躁，不计功利，且作者大多艺术修养深厚。曹篁生认为，文房清供是物化了的民族传统，

※ 徽州古村落门坊木雕（歙南昌溪）

它以丰富的功能，独特的造型，以及千姿百态的雕刻工艺与材质，构成了一个绚丽多彩、品位高雅的艺术世界。

曾经的徽州少年曹篁生，跟随木工手艺名震一方的姑爷，粗识徽州木雕的神奇曼妙。稍长即背负行囊游历大江南北，先后投奔在常州牙雕大师言伯泉、福州田黄雕刻大师林贞瑞门下，在雕刻的艺术殿堂里观澜索源，搜叶寻根、宏阔视野，逐步登堂入奥。

数年之后，人们以为会在山外大展身手的曹篁生，却悄然回到家乡呈坎古镇上潜心开起了一家雕刻工作室。在曹篁生看来，中国

※ 降龙罗汉（当代国家级非遗项目"徽州木雕"代表性传承人曹篁生作品）

雕刻艺术的根源就在徽州，或者说徽州文化滋养了中国雕刻艺术。这显然不是曹篁生因为热爱家乡而作的虚妄之语，比如说起传统竹雕艺术，世人必称嘉定、金陵二派，著名文博专家王世襄曾作论证：刻竹名手，世称嘉定，有明以来，朱松邻以及号称嘉定四先生之一的李流芳等自新安居于此，乔梓相承，已擅绝技。可谓是新安人开创了嘉定竹刻这一流派。清嘉庆道光年间寓居浙江黄岩的歙县人方洁，因所刻花鸟人物"其细若缕，且玲珑生动"而成为徽派雕刻的代表人物之一。散落在徽州民间各式文房器物一度俯仰可拾，如今看来无一不是徽派雕刻的瑰丽之作。交谈间曹篁生递过来一个竹简状物品，因摩挲日久微微泛着红润，上面用寥寥数刀刻画着一个在庭院里扫着落叶的老人，旁有落款"西园主人"。曹篁生说他尚未考证出"西园主人"究竟姓甚名谁，但这无疑是一块徽州清末臂搁精品。近二十年来，他几乎天天埋头览读研习这些前贤佳作，边用深浅毛光之刀痕，刻镂传扬着徽州的神韵。

笔筒是最早出现并沿用至今的文房器物，明朝朱彝尊曾作《笔筒铭》，云："笔之在案，或侧或颇，犹人之无仪，筒以束之，如客得家，闲彼放心，归于无邪。"对笔筒的喜爱和推崇之情溢于言表。曹篁生曾以高浮雕等技法，雕刻"竹林抚琴"竹笔筒一只，其上嵇康端坐抚琴，眉目清朗，须髯楚楚，衣袂飘拂，神情专注，俨然独立世外。纷披的竹叶重重叠叠，骤然观看似杂沓一片，谛视则远近浓淡，自有层次。右侧一男子似为琴声所动，正从园内门旁徐徐循声而来。2007 年 5 月 14 日，法国前总统德斯坦作客曹篁生家中，

※ 荣归故里（曹篁生红木雕刻作品）

对这只笔筒爱不释手，当即予以收藏，并与曹篁生一家共进午餐，席间前总统频频举杯向眼前这位年轻的艺术家表示敬意。

砚屏也是曹篁生常用的创作体裁之一。屏者，屏风也。传当年苏东坡因日光或烛光投射砚池墨汁余光伤目，故制砚屏以挡之。砚屏画面平整，可以汪洋恣肆地展现自己的艺术风格。曹篁生以紫檀木材质，运用高浮雕、圆雕、镂雕、阴刻等多种刀法，创作名为《荣归故里》屏风一块，画面上远山绵延，山岚浮动，葱茏林木掩映着屋宇人家，挺拔的苍松下，两架牛车正踽踽前行，后车上车夫挥舞长鞭，口中似有驱赶之声，前车车厢后坐一表情凝重的老徽商，似乎既有满载财富而归的欣喜，更有近乡情怯的忐忑。又作有《黄山大观》，七十二峰罗列攒立，天都、莲花，欲插霄汉，云势或浓或淡，缥缈卷舒，苍松蓊蓊郁郁，松针簇簇成团，这些作品都以精绝的雕刻技艺和强烈的地域特色在全国性的赛事中获得大奖。

而曹篁生最引以为自豪的是他创作的臂搁。臂搁是古人书写时用来搁放手臂的文案用具，将臂搁枕于臂下，既防墨迹沾臂，又防臂上汗水洇纸。曹篁生向我展示他新近创作的一副臂搁，如老松巨干一截，其上密布鳞皴瘿节，深褐色的树皮上间有虫啮瘢痕，松皮卷脱处，露出浅白色的木质和浅浅的流纹。曹篁生笑笑说其实这无关松木，而是分别用黄杨木和紫檀木分别雕刻成树心和树皮。利用高低不平的合面包合而成，因其浑如天然，故命名为《天人合一》，这种合包的创作手法为其独创，已获得发明专利。

颗粒如珠，须若游丝，满是丰稔气象的木雕玉米形镇纸，表皮凹凸有致，瓜蒂棱筋分明的竹雕南瓜形水盂，……窗外远眺溽川河水涟漪圈圈，近处花木葳蕤，暗香浮动，在这样一个风清气朗的秋日，与一位国家级非物质文化遗产传承人，边赏玩他每件都堪称精美的雕刻作品，边围绕徽州雕刻话题作漫无边际的清谈，是一件令人觉得既赏心悦目又齿颊留香的事情。

送来

　　送来是我舅舅的名字。六十年前，那时的人们恨不得能将天上的云絮撕下来填饥饿的肚子。一日，一个外村的妇女抱着不满一岁且饿得奄奄一息的孩子来到我外婆住的那个相对较大的村庄，想把孩子送人以便为孩子讨条生路，她在满是因饥饿而眼神呆滞的村庄里转了一天，才知道这是件枉然的事。晚霞满天，这妇人绝望地徘徊在村口的水潭边准备把怀中的孩子扔入水潭，恰我外婆收工回家路过，关切地上前询问，那妇人将孩子强塞给了犹豫着的我的外婆后跑开了。那个已严重营养不良的孩子在我外婆家连续几夜尿床，我外婆觉得那孩子像被贼毒的日头晒蔫了的瓜秧恐难复苏，便抱着孩子找到了他的生母。但生母坚辞不受，邻居们也都过来劝说，搞得我心软的外婆眼泪汪汪，只得把孩子重又抱回家。我那曾念过几年私塾的外公灵光一闪，说是这小孩就取名叫送来吧，送来就这样成了我的舅舅。

　　我父亲工作在外，母亲婚后的最初几年，是在我外婆家过生活的。我出世了，母亲要上山下田，送来用红布带子背着我上学，下课时还要一路小跑到很高的山上让正在干活的我母亲给我喂奶。后来送来说，如果不是那时的我整天无由地在课堂上哭闹，致他时时被老师逐出教室的话，他是不会连小学还未念完就辍学在家的，这事使我终身愧疚。

　　在我童年的记忆里，无处不闪现着送来的影子。蓝天之下，青山之侧，送来赤着脚吆喝着耕田，我在田埂上渐玩渐远，有个路人

　　※ 春耕犁田——舅舅曾经的农活(歙南南源口)

笑嘻嘻地招呼我，忽然紧张地大喊："送来，送来！"我一回头，身后草丛里一条长蛇正"嗞嗞"地向我吐着舌头，我吓得浑身发直。送来听见喊声，扔了犁铧，窜过两米多高的河堤，一把揽起我就跑。我们的村庄不通公路，供销社的货物需村民和板车到十多公里外去运来，送来的板车上依例坐着我。而那时的我，坐在满是货物的板车上，看送来弓着向前的背脊上厚厚的盐渍白花花地亮，显然还不懂得这就叫艰辛。那时山村的人们对电影似乎有着特别的热情，每次五里十里外的村庄放电影，送来都拗不过我的央求带我同去，而每场电影放不到一半，我就趴睡在送来的肩上了。记得送来曾警告过我再打瞌睡就不带我了，事实上每次看电影他都不曾落下过我。

就这样我长到了十一岁，然后外出求学、工作，在茫茫人海里浑浑噩噩地扮演着自己的角色。送来娶妻生子，外婆因感受到死亡阴影的日益临近弄得整个家庭都焦躁不安。送来的一对儿女相继到了上学的年龄，上学需要的费用使每日面对贫瘠黄土的送来夫妻束手无策。1993年八月里的一天，送来背着一床被条找到我工作的单位，跟我说要到杭州去找点事做，我显然也想不出帮他的办法。他到杭州不多日就寄给我一封字迹歪歪扭扭的信，说是在一家建筑工地上找到一份拌沙灰的事。到了腊月里他揣着几百块钱回家。一到家就病倒了，十几日不能下床，原因是他干活时住宿的地方潮气太重，

※ 舅舅曾经是很棒的独轮车手(歙南昌溪)

带回家的被条都能拧得出水。1994年正月初二，我带着新婚的妻子去给送来拜年，他又黑又瘦但精神还好。那日中午，曾喝过不少名酒的我，一口气喝了一斤多散装老白干。妻事后很有些怨言，我说我一看见送来就想喝酒，这你不懂。

1995年春茶刚下山，送来又出了家门。这次去的是黄山，村里有个人在黄山上承包了修一段石阶的工程，送来去帮他凿石头。六月的一天我正上着班，听见送来叫我，一照面见他满脸缠着纱布，我的心"咯噔"一下。原来头一天他在黄山上凿石头时，一块火柴头大小的石屑溅进眼睛里去了，在黄山上的几家医院都取不出来，若不是被及时送到我所在的这个城市的医院来抢救，他左眼的眼球定然不保。吃过午饭后，我和妻都叫他在我家休息两天，他找了很多借口坚持上黄山去了，我想他是怕留下来使我们感到不便。

黄山好风光。如果你有机会上黄山看峰看石看松看云，请留意一下那些平整的石阶，说不定哪一块正是我舅舅凿平的，他为此差点弄瞎了眼睛，他的名字叫送来。

窗外

窗外一条溪。

　　我写下这句话作为一篇散文的题目时，坐在故乡小川乡临家坞老屋的阁楼上。这是1985年夏天的一个夜晚，作为徽州师范学校一年级学生的我正在家中度着悠闲又近乎无聊的暑假。我试图用文字去描摹窗外那条穿村而过的小溪潺潺的流水声，劳作一日坐在溪畔纳凉的妇女们欢快的说笑声。狭小的阁楼里燠热难耐，但我的心情如窗外披了月光轻纱的小山村一般宁静。

　　这是另外一扇窗户。

※ 1984年作者就读于徽州师范学校，
　身后为学校的练琴房

※ 1986年徽州师范文学社师生合影，作者在最后排左一

　　窗外是各式的屋顶，还有晾晒着各样心情的阳台，高低错落绵延到那笔架似的山边，一缕白云轻绕在那山的腰间。

　　这一年里的每一个周末，我都在自己复式楼上小房间里赶写这部书稿。文思滞涩的时候，我去嗅庭院里初绽的桂花，或是怔怔地看窗外雪花旋转，各式屋顶渐渐迷蒙一片。

　　这两扇窗户的空间距离不过五十公里，而横亘在中间的，还有整整三十年的光阴。

1985年下学期入学不久，地区里的《徽州报》刊发我的散文《窗外一条溪》。徽州师范学校是一所有着百年历史的泱泱名校，校园里老树蓊郁挺拔。一个师范二年级学生在报纸上发表文学作品的消息，很快在同学间引发热议，行走在校园里总觉得有人向我指指点点而脚步矜持。语文老师对我青眼有加，学校文学社延我入社，文学梦仿佛一颗饱吸了阳光和水分的种子破壁而出。几乎所有的课余时间，我与文学社的同志们在那件堆满杂物的活动室里，呵着冻得红肿的手在冰冷的钢板上刻印那份叫《苗圃》的社刊；满心欢喜地捧着刚写好的习作去向指导老师求教，临敲门时却心情忐忑呼吸急促；信心满满地向报刊编

※ 1988年作者担任徽州师范学校文学社长时主编的刊物《苗圃》

辑部投寄稿件，时间一天天过去希望也逐日衰减，最终盼来的大多是退稿信，却捧着那寥寥几行雷同的文字反反复复地看。我青春里的每一个日子，都浸染着文学的芬芳。

师范毕业那年，我被分配到歙县新溪口中学任教。学校在新安江右岸的半山坡上。挑着铺盖走进刚经历暑假的校园，长着荒草的操场那头有个孤零零的篮球架，一块栏板耷拉下来。因为学校无空余宿舍，我被安排借住在附近的农家。白日里新安江上云蒸霞蔚，舟楫往来，校园一角月季花寂寞盛开，那边哪间教室里爆发出一阵琅琅书声，惊飞几只在花下啄食的鸟雀。夕阳西下，学生们三五成群，下到江边驾着小船或沿着校园后面的盘山小道去往各自的家。入夜，

※ 作者 20 世纪 80 年代末在歙南新溪口中学任教，这里盛产橘子

我站在农户家的阳台上俯瞰虚空幽暗的校园和满江的渔火，然后踱进房间，就着一盏昏黄的灯，从容编织我的文学梦。

两年后，我决定要变换一下自己的生存环境，于是提着一大摞参加各类文学征文得到的获奖证书，去敲县法院院长办公室的门，院长姓汪，解放初毕业于华东政法学院，打成"右派"多年刚恢复工作。汪院长问我为何想来法院，我说当教师过于平淡不利于写作，院长逐本翻看了我的获奖证书边说法院倒也确实缺少搞文字的人。顺利进入法院工作不久，我就痛悟到所谓的法院文字工作与我期望中的文学创作根本就风马牛不相及，但已回身无望，只能徒唤奈何了。

法院有个内设部门，叫作研究室。在歙县法院工作五年后，我

※ 作者曾任教于歙县新溪口中学，身后即为该中学的教学楼

被选调到市中级人民法院工作，此后虽有过短暂的刑事审判工作经历，但绝大多数时间都在研究室这一工作岗位上。据我的经验，研究室几乎包揽整个法院除法律文书以外所有与文字有关的工作，大到整个法院的年初工作思路，年底工作总结，小到会议通知，接待方案；特色亮点工作成绩没有及时总结呈报会招致领导不快，网络上发生涉及单位的舆情未能及时消除澄清，领导会不留情面予以斥责。最为揪心的是为领导写讲话稿，既要把握好上级的指示精神，又要结合本单位本部门提出切实可行的贯彻意见。讲话稿写毕键盘旁烟缸里烟头堆积如山，神情恍惚地走出烟雾腾腾的房间，东方已熹光微露，心里却还在为讲话稿领导是否满意而忐忑不安。

2015 年是我有生以来最为幸运的一年。年初，主持中级人民法院研究室工作十一整年而华发早生的我被交流到一个相对宽松的岗位，工作节奏突然放缓，一时间竟有些无所适从。暑期里儿子张瑞鼎如愿接到大学录取通知书，多年来因疏于对他管教而隐隐感到歉疚的心稍稍有些纾解，欢欢喜喜送他进大学校园后回到家中，整个身心都空落落的。正在这时，就读黄山市委党校青干班时我毕业论文的指导老师、市委党校毛新红教授，力邀我担纲《乡愁徽州》歙县卷的写作。我的好友，摄影家刘迅对我写这卷书也积极鼓励，此前我们曾不止一次畅谈要合作一本描述徽州风情方面的书，但由于我才学疏浅且又散漫，这个设想一直处于酒桌上的谈资阶段。这次他慷慨拿出近年来所有有关歙县的摄影作品供我选作插图，使我写作的信心倍增，也被这位老朋友的古道热肠深深感动。

起初对此书写作的自信还基于我生于斯、长于斯，对这块土地有着自己独到的记忆和深刻的理解，但随着写作的深入，越发觉得歙县就如同家中那个神情冷峻且言语谨慎的祖父，我虽曾与他朝夕相处，对他辉煌的甚至是充满传奇色彩的过去充满着敬畏，但在向他人叙述时，细节总显得语焉不详。

正当我试图去描摹我心中的歙县时，一纸调令让我去主持黄山区人民法院的工作。尽管我已有近三十年的法院工作经历，这家法院也有着很好的基础，但毕竟初来乍到，每日里总有许多想到的和未曾想到的事务要去处理，不免有些顾此失彼，手忙脚乱。眼看着出版社限定的交稿日期日益临近，心中焦躁，暗暗给自己做了规定，工作日专注于单位工作，心无旁骛，周末则谢绝一切应酬，尽

※ 作者20世纪90年代初在歙县人民法院工作

快完成书稿的写作。

周五晚上进了自家阁楼，闭了门户，关了网络，几缕茶香袅袅飘升，心便徐徐沉静下来，手击键盘或如山林中的流水，飞珠溅玉一路潺潺而下，心中自然欢畅；有时无语凝咽，竟日不成一行，却也能安稳沉着。紧赶慢赶，总算是完成了书稿，质量如何，听由诸君评说。

窗外星宇灿烂，灯火万家；窗外阳光晴好，车马喧腾。愿今后能有更多的日子，我能够安坐于窗下，沐浴着文学的光辉，独守一份安宁与平和。

后记

　　认识中共黄山市委党校的毛新红副教授大约是 2007 年左右的事情。当时她正受命编著《中国历史文化名城·歙县卷》，期间可能是遇到了一些困难，经歙县的文化名人程兵介绍，她找到我，让我参与其中部分章节的修改、补充工作。该书后按期顺利出版而且反响良好，毛教授向我说了很多感激的话，但此后并无联系。2012 年春夏之际，我参加市委党校青干班学习，毛教授给我们讲授徽州文化方面的课程。按党校的规定，学习期间，需三五学员组成一个调研组并完成一篇调研论文。我所在小组的论文由我执笔，毛教授是指导老师，论文的题目是《徽州传统技艺的保护与传承》。临近毕业时，这篇论文通过近乎严苛的答辩，成为全班三篇优秀论文之一，并发表在党校的自办刊物《黄山论坛》上。或许正是这两件事情给毛教授留下了印象，2015 年，当省徽州学研究会策划编撰《乡愁徽州》系列丛书时，毛教授向有关领导力荐我担任其中《歙县卷》的撰稿任务。

接受任务后我喜忧参半，喜的是因这次的机遇，能遂作为文学爱好者的我，多年来一直怀着的出版一本自己散文集的心愿。忧的是作为公职人员，终日忙忙碌碌，且又生性懒散，怕难以在期限内完成繁重的撰稿任务。再者，歙县作为全国历史文化名城，滥觞于此的徽文化博大精深，源远流长。我生长于斯，不免有"云生不知处"之感。接下来大半年的时间里，我几乎放弃所有的休息日，紧赶慢赶，总算是在规定的时日内勉强凑齐了字数。

书稿完成之日，也是我心生惶恐之始。幸有多位师友倾力相助，使我增添了些许的信心。《人民法院报》驻安徽记者站周瑞平先生，黄山市文化馆刘迅先生，歙县宣传部吴建平先生，乃至上个世纪六七十年代活跃于徽州新闻摄影界的汪杨老先生，都无偿地为本书提供了珍贵的图片。安徽人民出版社的各位老师，尤其是责任编辑蒋越林，多次与我交流修改意见，为拙著的问世做了大量工作，在此一并致以诚挚的谢意！

　　由于撰写的时间仓促，许多史料未及一一考究，加之本人才疏学浅，书中的错讹之处，祈望读者诸君能一哂了之。

※ 歙县全景